D1105799

FÚTBOL COMPLEJO

Del Entrenamiento Estructurado de Seirul·lo a la Periodización Táctica de Frade

"Un hombre con una idea nueva es un loco hasta que la idea triunfa"

Mark Twain

Título original del libro en inglés:

"Complex Football. From Seirul·lo´s Structured Training to Frade´s Tactical Periodisation"

Copyright: Javier Mallo Sainz, Madrid, 2015, 2021

contacto: complexfootball2@gmail.com

www.complexfootball.com

Twitter: @ComplexFootball

A lo largo de este libro se empleará uno de los géneros como genérico, es decir, que cuando se habla de "los jugadores", "los deportistas" o los "entrenadores" se incluyen tanto a hombres como mujeres, siguiendo la orientación de la Real Academia Española.

Autor: Javier Mallo Sainz

Tercera Edición (En español) - Noviembre 2021

ISBN: 978-84-09-35614-0

Depósito Legal: M-32398-2021

ÍNDICE

PRÓLOGO

por Pedro Marques[1]

Fútbol, una pasión que supera los límites

Para la mayoría de nosotros suele comenzar a una edad temprana, evoluciona a lo largo de nuestras vidas y está presente hasta nuestros últimos días. Algunos de nosotros participamos en el fenómeno del fútbol dedicando mucha energía en seguir a un equipo con todo nuestro corazón, otros somos lo suficientemente afortunados de tener un contacto estrecho a través de diferentes roles profesionales dentro del juego o en su enseñanza. Hay muchos puntos comunes entre los amantes del fútbol, pero ¿cuáles los distinguen?, ¿qué marca la diferencia entre el aficionado en la grada y el entrenador en el banquillo?

El juego evoluciona en los banquillos

Los dedicados aficionados modernos ya no buscan seguir únicamente las jugadas excitantes desde la lejanía; pretenden ser parte de ellas, tener más participación y vivir íntimamente todo lo que le sucede a su equipo. En esta veloz era digital, la proximidad entre aficionados, entrenadores, equipos y jugadores tiende a ser facilitada y hay un mayor acceso a los conocimientos sobre entrenamiento para compilar la información y cada día tomamos contacto con recursos inteligentes que se aplican dentro y alrededor del juego (p. ej. dispositivos de datos, indicadores de video en tiempo real, infografías). Cada vez hay más y más piezas de trabajo interesantes desarrolladas por personas ingeniosas "ajenas" al fútbol (p. ej. banqueros, arquitectos de datos, neurocientíficos), muchos de ellos sin estar directamente involucrados en un equipo o sin la necesidad de tener que ganar en el fin de semana, aunque esto no signifique que sean menos importantes, añadiendo un pensamiento dinámico a un movimiento global y conectado que empuja nuevos avances y tendencias para la evolución del juego (p. ej. avances analíticos en la

---

[1] *Graduado en Enseñanza de la Educación Física y los Deportes -Fútbol- y post-graduado en Entrenamiento de Alto Rendimiento (Facultad de Motricidad Humana, Lisboa, Portugal). Actualmente Pedro es el Director Técnico de la cantera del Sport Lisboa e Benfica. Anteriormente fue el Responsable del Rendimiento en Fútbol del City Football Group (2014-18), Analista del Rendimiento del primer equipo del Manchester City FC (2010-14) y Jefe de Análisis del Rendimiento en el Sporting Club de Portugal (2006-10).*

captación, nuevos escritores y blogueros consultados por los clubs, expertos utilizando sistemas de tecnología avanzada para el análisis del juego).

Bajando al campo de entrenamiento

A nivel del campo, el juego nunca se para y durante los últimos 30-40 años el aumento de la cercanía entre el conocimiento empírico (práctico) y científico (académico) ha permitido un alto ritmo de movimiento; preguntas más agudas, discusiones más fundamentadas y el desarrollo de mejores métodos de entrenamiento han llevado a beneficios en la preparación y el rendimiento. Las diferencias en el alto nivel son incluso más pequeñas y la capacidad para cuestionarse constantemente y mejorar las prácticas actuales diferencian a los buenos de los mejores.

Los entrenadores y personal de apoyo son los responsables de crear el entorno adecuado y aplicar los métodos apropiados para elevar el potencial individual y la dinámica colectiva hacia los objetivos del equipo y la consecución de éxitos. Desde dentro, están en una posición privilegiada para examinar el contexto y sus recursos desde múltiples ángulos y, por ejemplo, son los que tienen contacto directo y extensivo con los jugadores y pueden promover determinados comportamientos. Al final, los entrenadores y el cuerpo técnico dictan toda la preparación hacia el partido: ¿Qué espacios debe comprender y dominar el centrocampista para que el equipo pueda estar equilibrado en ataque?, ¿qué diseños de ejercicios, tiempos y feedback promoverán mayores niveles de aprendizaje y autoorganización para poder presionar desde arriba con una buena coordinación?, ¿cómo se pueden lograr adecuados niveles de activación en el entrenamiento para que se puedan transferir en un fuerte comienzo y en un rendimiento mantenido durante el partido? Estas son algunas de las numerosas cuestiones que los entrenadores y cuerpos técnicos tienen que estar preparados a solventar a través de la semana de entrenamientos… que van claramente más allá de las preocupaciones de los aficionados cuyo enfoque es, correctamente, el disfrute de los 90 minutos posteriores al saque inicial.

Seirul·lo y Frade: Dos grandes influyentes

Todos sabemos que hay muchos caminos que conducen a Roma y ¡lo mismo se aplica para ganar! No, no hay fórmulas mágicas. Pero creo que aquellos que ganan con considerable mayor frecuencia y más consistentemente tienen algo que hacen de manera diferente.

Aunque el logro de un juego perfecto es una utopía, esto es lo que enciende el deseo para que seamos mejores cada día. Este deseo se traslada a un constante estudio del juego y a una relación cercana entre la práctica y la reflexión multidisciplinar

Seirul·lo y Frade, mediante sus aproximaciones sistematizadas (yendo más allá del conocimiento exclusivo del fútbol), han desarrollado durante los años dos metodologías diferentes que sobrepasan la visión tradicional y unidimensional del juego; de una manera única integran diferentes conceptos y establecen una nueva visión del entrenamiento del fútbol que permite a sus seguidores acercarse a la esencia de este juego complejo. Siempre en interacción con el juego en sí mismo, con los jugadores y entrenadores, sus contribuciones son versátiles, robustas y merecen ser entendidas.

Aunque nunca he tenido la fortuna de trabajar directamente ni con el Profesor Seirul·lo ni con el el Professor Frade, como otro muchos de mi generación hemos estado inspirados directa o indirectamente por sus experiencias y conocimientos. Sus trabajos me han ayudado a conformar mi propia aproximación al fútbol multidisciplinar, holística y compleja.

Son muchos los ejemplos de entrenadores de éxito que se asocian a sus metodologías, con Pep Guardiola y José Mourinho como los de mayor renombre… pero seguro que otros les seguirán, especialmente en el caso de que muestren la misma pasión, coraje y capacidad para desafiar e implementar prácticas y soluciones novedosas.

Este libro, que compila en detalle dos de mis más fuertes referencias metodológicas del fútbol, abre las puertas para futuras reflexiones y una mejor compresión sobre el éxito del entrenamiento del fútbol ibérico que hemos apreciado durante las últimas décadas. Felicidades a Javier por haber compilado este trabajo de calidad y dar la oportunidad a lectores de distintos idiomas de acceder a estos autores de gran valor cuya obra se ha publicado principalmente en portugués y/o español. Espero que lo puedan leer con la mente abierta y extraigan de cada uno de ellos nuevas ideas que les ayuden a desarrollar sus propios procesos y éxitos en el entrenamiento.

PRÓLOGO
por Rafael Martín Acero[2]

Seirul·lo: entrenar al futbolista para el fútbol, desde los fundamentos neurocientíficos de la complejidad

Francisco Seirul·lo es un entrenador, profesor y maestro de gran transcendencia en la transformación del deporte español de alta competición. Su experiencia de campo y su perfil académico, formador e investigador, ha tenido y tiene una innegable influencia en las metodologías del rendimiento de diversos deportes, promoviendo en los últimos 40 años una práctica del entrenamiento en España que ha posibilitado muchos de los éxitos de sus entrenadores y deportistas.

Los éxitos deportivos del Profesor Seirul·lo han verificado sus propuestas con fundamentación científica en las teorías de la complejidad y en la neurociencia. Ha participado directamente en éxitos singulares, pero es su conjunto lo que ha dado mayor visibilidad a su praxis, convirtiéndola en estigmática para muchos entrenadores y estudiosos. Este nuevo enfoque, tanto práctico como teórico, ha sido denominado por algunos como "pensamiento" o paradigma Seirul·lo. Su influencia en el entrenamiento deportivo ha sido amplia y profunda. Ha trabajado directamente como técnico deportivo en fútbol, balonmano, atletismo, judo, tenis o motociclismo.

La lectura de la obra del Profesor Seirul·lo es una tarea necesaria, sin embargo no hay tantas posibilidades como las que ahora facilita este libro de Javier Mallo. Una web recoge muchos de los documentos de Seirul·lo (www.entrenamientode-portivo.org). También un Máster (Mastercede e INEF de Cataluña) agrupa parte del conocimiento construido a partir de Seirul·lo, en su aplicación a la preparación física de los deportes de equipo. El impacto de Seirul·lo en la práctica no es cuantificable. En muchas investigaciones y tesis doctorales ya ha sido de mayor impacto que cualquier contribución académica estandarizada. Como académico, Seirul·lo ha impartido asignaturas en formación universitaria de control motor, de kinesiología, y de entrenamiento deportivo.

---

[2] *Doctor en Educación Física y Experto en Rendimiento Deportivo. Catedrático de Educación Física y Deportiva en la Facultad de Ciencias del Deporte y la Educación Física (INEF) de la Universidade da Coruña (UDC). Con anterioridad ha sido Responsable de los Servicios de Apoyo al Rendimiento del Fútbol (SARF) del RC Deportivo (desde el año 1999), Decano del INEF de la UDC (1998-2013) y Seleccionador de España de Velocidad (1986-1992).*

Recuerda Lalín[3] (2009), entrenador físico en el RC Deportivo de La Coruña (1999-2008), Real Madrid (2008-2013), y Chelsea (2014-2015), entre otros muchos equipos, que el Profesor Seirul·lo ya había sintetizado el abordaje del trabajo especializado de prevención y readaptación de lesiones en los años 80, por parte de los preparadores físicos. Lo que se complementa con las observaciones de Fernández del Olmo, investigador en control motor y preparador en equipos de élite (RC Deportivo, Liceo HC), sobre la aproximación científica que el Profesor Seirul·lo ha realizado en el análisis de los factores de rendimiento del jugador de élite y en los efectos que las situaciones de entrenamiento, como causas sistematizadas, han de producir en la mejora continuada de la conducta motriz del jugador en el juego de competición. Seirul·lo ha sido un adelantado en la aplicación de lo que hoy se conoce como entrenamiento propioceptivo funcional. Sus conocimientos neurofisiológicos de las unidades funcionales del sistema psicomotor humano son los que le permitieron desde hace cuatro décadas tener este enfoque tan adelantado a las aportaciones actuales de las neurociencias y de las ciencias de la complejidad al movimiento humano.

Seirul·lo ha influido y aportado las hipótesis y los constructos más sugerentes para el entrenamiento de los deportes de equipo, particularmente para el fútbol y el balonmano. En las nuevas ciencias de la actividad física y del deporte sus contribuciones son innumerables, las que están muy bien recogidas en este buen libro de Javier Mallo que son algunas de las que más influencia han tenido en la práctica real. También ha tenido gran influencia en la formación de numerosos entrenadores, tan solo citar en el fútbol a Guardiola, a quien entrenó como jugador desde los 14 años y con quien trabajó en todos sus éxitos como entrenador en el Barça, donde también fue técnico con Johan Cruyff, Robson, Rexach, Van Gaal (estando Mourinho en su grupo de ayudantes), Rijkaard, Vilanova y Martino. En balonmano, tanto en el Barça como en la selección de España, siempre trabajó con Valero Ribera, el técnico más laureado de este deporte en el mundo.

Frade: Entrenar al equipo para el partido, desde los fundamentos de las teorías de la complejidad

Otros materiales muy bien recogidos por Javier Mallo en este libro, parten de otra muy buena práctica, también estigmática por sus éxitos, denominada como Modelo de Periodización Táctica (MPT), que ha tenido un desarrollo próximo, y en

---

[3] *Lalín, C. (2009). Consideraciones sobre la aportación de Seirul·lo a la readaptación físico-deportiva del deportista lesionado. Revista de Entrenamiento Deportivo, 33, 19-21.*

paralelo, al que hemos denominado Modelo Cognitivo de Funcionalidad Sinérgica de Seirul·lo (MCFSS). No solo tiene valor anecdótico el que Seirul·lo y Mourinho coincidiesen durante cinco años en el cuerpo técnico del FC Barcelona de fútbol (con Robson y Van Gaal de entrenadores jefe), como tampoco es anecdótica la estancia de estudio de Rui Faria, ayudante de Mourinho, en el FC Barcelona, y tampoco parece casualidad la proximidad cultural y académica contemporánea entre dos profesores universitarios, uno en Barcelona (Seirul·lo) con responsabilidad de entrenamiento en fútbol de alta competición, y otro en Oporto (Frade), también con responsabilidades de entrenamiento práctico. El MPT fue estudiado, desarrollado y puesto en valor práctico, entre otros, por Rui Faria, sobre todo a partir del encuentro con José Mourinho, hace ya más de una década. Estos especialistas, con profunda formación y amplia experiencia, han contribuido de un modo definitivo a una nueva visión de la práctica y la teoría del entrenamiento del fútbol y seguramente tampoco es casualidad que ambos sean profesionales de la educación física enfrentados al entrenamiento de un deporte muy complejo como el fútbol, de muy difícil estudio y análisis científico. Esta confluencia de intereses, visiones y enfoques, tiene un buen reflejo en las palabras del propio Víctor Frade, cuando ha dicho "…mi referencia de entrenador actual en la élite es el método de José Mourinho y mi referencia en el modelo de juego del fútbol es el de Pep Guardiola".

Deseo que el esfuerzo del autor por recoger en este libro las tendencias de mayor éxito en el fútbol mundial de las últimas décadas, y con mejor fundamentación y referencias teóricas, obtenga uno de sus objetivos que es que el trabajo de técnicos del sur de Europa sea mejor conocidos por la mayoría de entrenadores y preparadores físicos.

PRÓLOGO
por Xavier Tamarit[4]

"Aún así o se cree o no se cree, ¡no existe una posición intermedia!"

Cada día que pasa estoy más convencido de esta frase con la que Rui Faria termina uno de los prólogos de mi último libro.[5] Es más, ya en mi primer libro[6] dije: "La Periodización Táctica es algo en lo que se cree o no se cree, o estás con ella o eres contrario a ella. No puedes decir, sí creo en ella, pero... Entonces deja de ser Periodización Táctica".

Y esto no tiene nada que ver con extremismos o radicalismos, sino con la pérdida de Sentido de una Lógica que es (i)lógica según el pensamiento convencional y que sufre el riesgo de realmente ser ilógica si no nos desprendemos de ciertas dependencias convencionales.

Ahora, tan importante como la creencia es la dominancia del tema en cuestión, porque si ésta no es la adecuada, permitiéndonos distinguir bien entre X e Y, pasa a ser muy fácil para nuestro subconsciente engañarnos y confundirnos basándose en el entendimiento que tiene arraigado, entrañado, con el que nos han formado desde niños y que nos impide ver las cosas tal como nos las presentan, llevándonos a la falta de coherencia y a la mencionada pérdida de Sentido.

Pero atención que este convencionalismo que impera en nuestra forma de pensar y sentir, tanto en nuestro consciente como, y siendo peor, en nuestro subconsciente, no tiene nada que ver con entrenar con pelota o sin ella, con ejercitarnos de un modo más jugado o analítico, con utilizar ejercicios más genéricos o más específicos, con tener un pensamiento más o menos "sistémico"…

En ocasiones puede hasta parecer, a simple vista, con la observación de algunas unidades de entrenamiento, que se está entrenando según esta metodología de entrenamiento, ya que la ejercitación se realiza en una única unidad de

---

[4] *Graduado en Ciencias de la Actividad Física y el Deporte. Autor de los libros "¿Qué es la Periodización Táctica?" y "Periodización Táctica v Periodización Táctica". Ha sido entrenador asistente en diversos equipos de fútbol profesionales como el Leganés CF, Deportivo Alavés, Valencia CF (España), Southampton FC (Inglaterra) y Estudiantes de la Plata y Vélez Sarsfield (Argentina).*

[5] *Tamarit, X. (2013). Periodización Táctica v Periodización Táctica. Valencia: MB Football.*

[6] *Tamarit, X. (2007). ¿Qué es la Periodización Táctica? Vivenciar el juego para condicionar el juego. Vigo: MC Sports.*

entrenamiento al día normalmente, casi siempre con la pelota presente, incluso con situaciones específicas del Modelo de Juego, con aspectos del juego más individuales o sectoriales unos días y aspectos más colectivos otro día... Pero la Periodización Táctica es mucho más, o menos, que todo esto. Se trata de un forma de entendimiento diversa a la convencional: entendimiento del Ser Humano y su funcionamiento, entendimiento del organismo y su adaptabilidad, entendimiento del Juego y su entereza inquebrantable, entendimiento del Fútbol y su aprendizaje, entendimiento del jugar y su fabricación... ¡Y no solo diversa en su modo de entender sino también en su modo de operacionalizar y proceder! Y para ello es necesario el respeto por unos Principios Metodológicos (Principio de las Propensiones, Principio de la Progresión Compleja y Principio de la Alternancia Horizontal en especificidad) que, siendo correctamente entendidos y llevados al terreno, permiten dicha Lógica.

Y no es fácil despojarse del pensamiento con el que hemos sido formados. Por ejemplo, y sabiendo que es solo una gota más en un vaso ya lleno, son muchas las ocasiones en las que me he arrepentido de haber escrito sobre la estrategia del café con leche. Tengo la sensación que he puesto en bandeja una excusa perfecta para que el consciente, en el caso de muchos, y/o el subconsciente, en el caso de pocos, impidan soltar la mano de la lógica con la que hemos aprendido a caminar y sin la cual nos amenaza de caída. La estrategia del café con leche debe ser utilizada únicamente en el contexto y las circunstancias que lo requieran, y siempre estando destinada a desaparecer tan pronto como sea posible, si es que lo es, y con un gran control y conocimiento sobre lo que hacemos para que esto no genere incoherencia con la matriz del proceso, es decir con la Lógica de la Periodización Táctica.

En definitiva, arrastrados por esa forma de pensar que nos ha sido impuesta, y que nos confunde debido al no dominio necesario que tenemos de las cosas, hacemos algo, intencionalmente o no, que en las formas parece Periodización Táctica pero que en el fondo es incoherente con su Lógica. Ni estamos "aquí" ni estamos "allá", y generamos un proceso lleno de falta de armonía que suele llevar a rendimientos individuales y/o colectivos no deseados, de los cuales culpamos a la Periodización Táctica... pero ¿de qué Periodización Táctica estamos hablando? , ¿de la creada por Vítor Frade[7] o de la nuestra, desvirtuada e incoherente?

Esta común incongruencia concomitante al proceso que se lidera hace que deje de darse la especificidad que lleva a la adaptabilidad y viceversa, en un ciclo

---

[7] *Vítor Frade: Creador de la Periodización Táctica y su máximo exponente.*

constante, condición *sine qua non* para esta metodología, y, por tanto, que la Periodización Táctica deje de ser Periodización Táctica. Es por ello que no existe una posición intermedia, ya sea por creencia o por falta de dominio.

El autor, a través del recorrido que realizaremos por sus escritos, despierta el interés por no estancarnos en el conocimiento adquirido, por la búsqueda constante y la necesidad de reflexionar y cuestionar, incluso nuestras propias reflexiones, continuamente.

Decidí escribir este prólogo, sin conocer a Javier personalmente y sin haber podido leer el libro en su totalidad. Lo hice por el atrevimiento, la solidaridad y la dedicación que desprende. Atrevimiento por tratar de mostrar que existen nuevos horizontes en el entendimiento del Fútbol, del juego y de su entrenamiento, confrontando así al conocimiento institucionalizado con todo lo que ello conlleva. Solidaridad por compartir el conocimiento que tanto le costó adquirir, y las experiencias que lo sustentan, siendo ésta la única manera de seguir evolucionando y mejorando como sociedad, y en cualquiera de sus dimensiones, Fútbol en este caso. Y dedicación por lo que implica escribir y editar un libro de tal magnitud, aún más en una lengua no materna.

Este libro es un buen punto de partida para, reitero, cuestionarse ciertas "verdades" establecidas y, en caso de dudar de ellas, incita a seguir indagando, y a la necesidad, que ello debería llevar implícito, de sumergirse en lo profundo y no quedarse en la cómoda superficie que impide apreciar la zona abisal[8] de las cosas.

---

[8] *Zona abisal: Es uno de los niveles en los que se divide el océano según su profundidad, y que comprende entre los 2.000 y 6.000 metros. Representa el 70% de los océanos aproximadamente y éstos casi el mismo porcentaje de la Tierra. Esta zona es prácticamente desconocida por el Ser Humano, que conoce más sobre Marte por ejemplo, debido a las condiciones existentes como falta total de luz solar y elevada presión hidrostática.*

INTRODUCCIÓN A LA TERCERA EDICIÓN

*"Locura es hacer lo mismo una y otra vez
esperando resultados diferentes"*
Albert Einstein

En la época del esplendor tecnológico y de la inmediatez, en la que con un simple click tenemos acceso a todo tipo de información sobre aquello que está sucediendo en el punto más distante del globo terráqueo, le sorprenderá saber que el libro que usted tiene en sus manos fue escrito en el año 2013. Espero que la crudeza de este dato no le haga decrecer el interés por su lectura, puesto que la mayor parte de lo que se expondrá a lo largo de las siguientes páginas es de plena vigencia y relevancia. Esto sucede porque el fútbol es un fenómeno inacabado, de modo que nunca tendremos la seguridad de que aquello que escribamos sea lo correcto y de que dispongamos de la verdad absoluta. Por ello, la presente edición revisada del libro ha respetado la estructura de las dos versiones precedentes, añadiéndose las referencias más recientes para facilitar la diseminación de las dos filosofías que componen el núcleo de la obra: el Entrenamiento Estructurado y la Periodización Táctica.

Este libro se escribió originalmente en inglés, en un intento por dotar de referencias y soporte intelectual a todos aquellos que, como el propio autor experimentó en primera persona, en algún momento de su vida profesional tuvieron que emigrar y trataron de poner en práctica ideas novedosas sobre el entrenamiento en el fútbol. En muchos de los casos, estos razonamientos alternativos chocaron con los axiomas clásicos enquistados en las culturas deportivas locales, siendo múltiples los ejemplos de técnicos que se han encontrado indefensos en escenarios similares, donde la guillotina de las autoridades morales sobre el entrenamiento les exigían proporcionar un soporte "científico" antes de aceptar variaciones en los planteamientos tradicionales sobre su organización. Estos pensadores binarios, ignorantes de cualquier avance del conocimiento ajeno al dogma establecido por convención, pueblan la esfera futbolística por todos los rincones del planeta, de ahí la enorme difusión que el presente libro ha tenido a través del boca a boca de los muchos técnicos que se identifican con la necesidad de romper con el convencionalismo imperante en el entrenamiento del fútbol.

Curiosamente, con el paso de los años han sido numerosos las personas que han solicitado una versión traducida al español del texto, para refutar el pensamiento paleolítico que parece ser que aún cohabita algunos rincones de países castellano parlantes, con técnicos que siguen amparando sus prácticas bajo el axioma de "así es como se han hecho siempre las cosas". No hay nada como hacer un repaso a los videos de entrenamiento de distintos equipos profesionales durante de la última pretemporada, en Julio de 2021, para seguir verificando como muchos dinosaurios siguen habitando el planeta fútbol. La división entre el cuerpo y el cerebro del futbolista sigue perpetuándose y manifestándose a través de series de carrera lejos del campo del fútbol, saltos bilaterales a cajones, ejercicios de fuerza aderezados con todo tipo de condimentos circenses y tantos otros contenidos inespecíficos acuñados con la idea de llenar el depósito de combustible para el largo período competitivo que se avecina por la alta congestión del calendario internacional. Este analfabetismo conceptual ha sido transmitido intergeneracionalmente de entrenadores a futbolistas, los cuales una vez retirados seguían repitiendo los mismos modelos obsoletos cuando comenzaban sus carreras en los banquillos. También la prensa ha sido altavoz de estas corrientes retrógradas de ejercitación, donde el correr se ha privilegiado sobre el pensar y lo cuantitativo sobre lo cualitativo.

De este modo, la falta de reflexión de algunos conjugada con la ausencia de textos específicos de entrenamiento del fútbol, ha dado lugar a que durante muchos años haya existido un gran cajón desastre donde han confluido múltiples sistemas de entrenamiento. Muchos de estos métodos han sido copiados y extrapolados a distintos contextos bajo la idea de que eran utilizados por los equipos campeones. Grave error no haber hecho caso a sabios como el argentino Fernando Signorini (preparador físico, entre otros equipos, de la selección Argentina en la época de Maradona), que ya hace años daba en el clavo cuando sentenciaba que uno puede ganar haciéndolo todo mal si tiene la suerte y los mejores jugadores de su lado.

Si retrocedemos unos años atrás para estudiar la evolución del fútbol, podemos recordar que en 1994 Estados Unidos organizó la decimoquinta edición de la Copa Mundial de la FIFA. Muchos especialistas de la época rápidamente se aventuraron a predecir que este país sería el gran dominador mundial del deporte en los años siguientes debido a su enorme población, potencia económica y estructura deportiva. A pesar de tener más de 300 millones de habitantes, el mayor producto interior bruto (según los datos del Fondo Monetario Internacional) y haber ganado el mayor número de medallas en los tres últimos Juegos Olímpicos (Londres 2012, Río 2016 y Tokio 2020), su selección nacional de fútbol sólo ha alcanzado una vez las semifinales del Mundial y fue en la edición del año 1930. En sus últimas participaciones -Sudáfrica 2010 y Brasil 2014- Estados Unidos alcanzó los dieciseisavos de final, mientras que ni siquiera llegó a clasificarse para la fase final del torneo disputada en Rusia en el año 2018.

Por otro lado, la población de Uruguay no supera los 3,5 millones, ostenta la 78[ava] posición en el índice mundial del producto interior bruto (año 2019) y no ha logrado ni una sola medalla en las últimas cinco citas Olímpicas. A pesar de ello, obtuvieron el tercer puesto en el Mundial del año 2010 en Sudáfrica, complementando éxitos precedentes como las victorias en la Copa del Mundo de 1930 y 1950 y finalizando también terceros en las ediciones de 1954 y 1970. Así mismo, fueron eliminados por Francia, posterior campeón, en los cuartos de final de Rusia 2018.

Croacia presenta similares características demográficas y económicas que Uruguay, con un población total inferior a los 4,5 millones y casi un idéntico producto interior bruto. En el autobús que trasladaba a la selección croata a los partidos del Mundial 2018 se podía leer un rótulo que decía *"Mala zemlja, veliki snovi"* (Pequeño país, grandes sueños). Croacia dio una de las grandes sorpresa de la historia de los Mundiales, al llegar hasta la final donde fue derrotada por Francia. Paradójicamente, Croacia fue el país finalista con menor población desde Uruguay en el año 1950.

Si seguimos la corriente tradicional de razonamiento, resulta difícil encontrar una explicación a estos hechos. Acudir a una Copa del Mundo requiere un equipo formado por 23 futbolistas y, por ende, debería ser mucho más fácil generar un atleta de élite mundial en un deporte individual que un equipo de fútbol. Sin embargo, en Uruguay y Croacia, con casi un 1% de la población de los Estados Unidos y un 0,3% de su producto interior bruto, han emergido mejores futbolistas a lo largo de los años. Prueba de ello es la obtención por parte de Luka Modric del trofeo Balón de Oro del año 2018, que le acreditaba como mejor jugador de la temporada. En la lista de 30 candidatos para el citado galardón, que estaba compilada por el staff editorial de la revista "France Football", se hallaba también otro jugador croata (Ivan Rakitic) y tres uruguayos (Luis Suárez, Edinson Cavani y Diego Godín). Interesantemente, no había ningún jugador nacido en los Estados Unidos en esta lista final de candidatos.

Utilizando estrategias de razonamiento semejantes, pseudo-expertos en el fútbol pronosticaron también un gran éxito para los países africanos tras su dominio en los torneos internacionales de categoría juvenil. Durante los últimos 30 años (entre 1989 y 2019) los equipos africanos han alcanzado 15 presencias en las semifinales en los Campeonatos del Mundo de categoría sub17 y otras 12 a nivel sub20. Nigeria (cuatro veces campeón y cuatro veces subcampeón al combinar los resultados de los torneos de edades sub17 y sub20) y Ghana (tres titulo y cuatro finales perdidas) han sido las naciones más exitosas, probablemente por su superioridad física en estas edades. Curiosamente, a pesar de tener un total de 27 presencias en semifinales de los Mundiales juveniles, ningún país africano ha llegado todavía a alcanzar la misma ronda a nivel sénior, siendo los mejores resultados los logrados por Camerún (en 1994), Senegal (2002) y Ghana (2010) que alcanzaron los cuartos de final. Más aún, por vez primera desde el año 1982, no hubo ninguna selección africana en los dieciseisavos de final en el Mundial de Rusia del 2018.

Mucha gente espera que China sea la siguiente superpotencia que domine el fútbol. Con un 20% de la población mundial, el gobierno chino ha desarrollado un ambicioso proyecto para conseguir que 50 millones de personas jueguen al fútbol durante la presente década. Aunque China sólo se ha clasificado una vez para la fase final del Mundial y ocupa la 71ª posición en el ranking de la FIFA (Julio 2019), el objetivo es convertirse en un país hegemónicos en el año 2050. El programa chino sigue una aproximación tradicional, en el que se incluye el fútbol como una materia adicional dentro del sistema educativo formal.

Resulta incierto poder predecir cuánto tiempo (y dinero) le costará a China alcanzar el éxito en los grandes torneos después de las enormes inversiones realizadas durante los recientes años. Es por ello que debemos reflexionar sobre los ejemplos previos y cuestionarnos qué está sucediendo, puesto que si no depende de la población, dinero, recursos deportivos o componente físico, ¿por qué los países no son capaces de producir futbolistas del máximo nivel y equipos ganadores?, ¿conocen los (pseudo) expertos los ingredientes mágicos de la poción?

Durante mi experiencia como profesor en la Facultad de Ciencias de la Actividad Física y el Deporte, de la Universidad Politécnica de Madrid, tuve la oportunidad de enseñar la asignatura de "Fútbol". Para establecer una línea coherente inicial, traté de adaptar los contenidos de enseñanza a los objetivos del curso, que eran prácticamente idénticos a aquellos necesarios para obtener las licencias de entrenador de la UEFA. En cualquier caso, pronto me di cuenta de que había mucha diferencia entre los principios tácticos que tenía que seguir académicamente y aquéllos que había experimentando en mis roles previos como entrenador en el ámbito profesional.

Bajo estos constreñimientos tuve que invertir la dirección de la aproximación y, en lugar de explicar los principios tácticos a utilizar en el juego (como coberturas, presión, ayuda, desdoblamientos, etc), me propuse estudiar el juego y luego buscar principios que ayudasen a explicar qué había sucedido. Dicho de otro modo, trate de descodificar el juego, analizando y diagnosticando el rendimiento de futbolistas y equipos en la búsqueda de los elementos cualitativos que deberían recibir mayor atención durante el proceso de entrenamiento. En este proceso los equipos más destacados del momento fueron objeto de mi estudio, para analizar las principales características de su modelo de juego e intentar describir los principios que caracterizaban su organización. De manera complementaria, y para tener una perspectiva más global, la segunda parte de la tarea consistió en investigar sobre la metodología de entrenamiento de los equipos de alto nivel, en un intento por comprender cuáles eran los requisitos prácticos necesarios para desarrollar un modelo de juego particular. En este período, que transcurría entre los años 2007 y 2011, había dos grandes referencias que aparecían en todos los debates futbolísticos: el FC Barcelona y la figura de José Mourinho. Por ello, como objetivo personal de investigación, dediqué mi tiempo a conseguir la mayor cantidad de información posible sobre estas dos filosofías de entrenamiento, leyendo, viajando, viendo sesiones de entrenamiento y hablando con gente familiarizada con ambas ideas.

Aunque mucha gente pudiera considerar que la filosofía de entrenamiento del FC Barcelona y la de José Mourinho son antagónicas, hay muchos puntos de confluencia entre las mismas. Probablemente, el más importante de ellos es la ruptura con la aproximación tradicional al entrenamiento en el fútbol, que concebía al cuerpo como una máquina y era estudiado a través de disciplinas mensurables como la fisiología, biomecánica, física o anatomía. La realidad del fútbol es mucho más compleja que esta aproximación simplista y conlleva la necesidad de incluir nuevas ciencias en la ecuación. Por ello, perspectivas más noveles provenientes de la psicología, el cognitivismo, la antropología, el estructuralismo, la cibernética, la teoría de sistemas, la teoría del caos, la neurociencia, la geometría fractal o la ecología, entre otras muchas, deben ser integradas para desarrollar una representación integral del futbolista, cuyo cuerpo y mente están siempre interrelacionados y no pueden ser considerados de manera aislada. De este modo, las ciencias de la complejidad ofrecen los fundamentos para un nuevo paradigma cualitativo de estudio del fútbol y de su proceso de entrenamiento, superando la convención tradicional y el "efecto de la luz del farol", donde las personas sólo buscan la solución en los lugares más sencillos, como resume la siguiente parábola (Freedman, basado en Kaplan, 1964):

Un policía encuentra a un hombre borracho buscando algo debajo de la luz de un farol y le pregunta qué ha perdido. El borracho le contesta que ha perdido sus llaves y los dos comienzan a buscarlas juntos debajo de la luz. Pasados unos minutos, el policía le pregunta si está seguro de haberlas perdido allí, a lo que el borracho le contesta que no, que las perdió en el parque. El policía le pregunta que, entonces, porqué las busca allí, a lo que el borracho replica, "aquí es donde hay luz".

El Profesor Seirul·lo (de Barcelona, desarrollando el concepto de Entrenamiento Estructurado) y el Profesor Frade (de Oporto, creador de la Periodización Táctica) han proporcionado un gran soporte para todos los que creíamos que había otra manera de hacer las cosas en el fútbol. Por desgracia, su labor ha sido muchas veces ninguneada o malinterpretada, lo que hace que una de las principales razones de la existencia de este libro haya sido la de recopilar la mayor cantidad de información posible de gran parte de las fuentes originales disponibles en la literatura. A pesar de ello, este viaje resultará ser siempre incompleto por lo que se recomienda al lector que acuda a leer directamente a los mayores expertos sobre el tema para tener una visión más amplia y precisa del mismo y evitar disonancias en la transmisión del mensaje. De especial interés resulta la lectura pormenorizada del libro "El entrenamiento en los deportes de equipo" escrito en primera persona por Sei-rul·lo en el año 2017 y aquéllos de Xavier Tamarit sobre Periodización Táctica, en los que aglutinó de manera brillante los testimonios directos de Vítor Frade. De manera complementaria, citas textuales de Seirul·lo y Frade se incluyen en el texto para ayudar al lector a comprender las peculiaridades de cada metodología.

Finalmente, y antes de empezar a leer el libro, tengo una sugerencia que hacerle: Borre toda su mente, limpie todos sus pensamientos previos sobre el fútbol y olvide todo lo que ha aprendido sobre el entrenamiento hasta la fecha. Sé que esto es difícil, porque ya el propio Albert Einstein lo advertía cuando decía, "que era más triste en la que es más fácil desintegrar un átomo que eliminar un prejuicio". Una vez que tenga una mente más limpia, intente comprender los conceptos básicos del Entrenamiento Estructurado y la Periodización Táctica y, cuando termine de leer el libro, retorne a su realidad. Llegado a este punto, probablemente usted tenga nuevos recursos y herramientas que podrá emplear en el entrenamiento de su equipo. No se trata de qué metodología es mejor que la otra ni cuál de ellas le garantizará ganar más partidos. Se trata de comprender la persona y el juego, sentando las bases para llevar a los jugadores y equipos a un nivel de optimización superior.

PARTE 1

LA NECESIDAD DE UN CAMBIO DE PARADIGMA EN LA CIENCIA Y EN EL FÚTBOL

"Creo que el próximo siglo será el siglo de la complejidad"

Stephen Hawking

I.1 LA APROXIMACIÓN TRADICIONAL AL ENTRENAMIENTO EN EL FÚTBOL

Fundamentos del entrenamiento deportivo

La organización del entrenamiento es un fenómeno muy popular en el deporte moderno, aunque si retrocediésemos a la época de la Antigua Grecia o la Roma clásica, nos daríamos cuenta de que las cosas no han cambiando tanto con el transcurso de los años. Hegedüs (1988) describe cómo los atletas empleaban un período de preparación de diez meses para participar en los antiguos Juegos Olímpicos, que concluía con una concentración final de un mes previa a la competición. Este período de entrenamiento se dividía a su vez en ciclos más cortos -de cuatro días-llamados *tetras* que se repetían de manera consecutiva hasta el inicio del evento. La rutina diaria de estos primitivos atletas consistía principalmente en dormir, entrenar, nutrirse y tener debates filosóficos que, excepto por este último elemento, sería un patrón muy similar a los principios compartidos por los entrenadores actuales. El libro "Gymnasticus", escrito por Filóstrato, es probablemente una de las primeras referencias sobre esta organización anual del entrenamiento, al mismo tiempo que describía el perfil físico específico necesario para participar en cada tipo de disciplina atlética (Konig, 2019). Galeno (129-210 AC) fue otro de los pensadores representativos de esta época y en su ensayo "Sobre como hay que proteger la salud" presentó una detallada categorización de los ejercicios de entrenamiento y de su secuenciación durante la temporada (Issurin, 2010).

No fue hasta el restablecimiento de los Juegos Olímpicos en los últimos años del siglo XIX cuando se volvió a documentar el interés sobre la metodología del entrenamiento. Pikhala publicó en 1930 un libro que contenía afirmaciones que han permanecido hasta nuestros días: el trabajo y la recuperación deben alternarse durante la temporada, el entrenamiento genérico tiene que preceder al específico y al aumento de la intensidad le corresponde una disminución del volumen de entrenamiento (Hegedüs, 1988). Adicionalmente, el plan anual se dividía en cuatro períodos: preparación, primavera, verano y recuperación (otoño), con las competiciones concentradas en las dos fases centrales.

Existen múltiples referencias de distintos autores como Murphy (1913), Kotov (1917), Gorinewsky (1922), Birsin (1925), Vsorov (1938), Grantyn (1939), Dyson (1946) o Letunov (1950) que investigaron sobre la organización del entrenamiento durante la primera mitad del siglo XX (Seirul·lo, 1987a; Siff y Verkhoshansky, 2000).

Después del éxito de los atletas rusos a mediados del siglo pasado Matveiev (1964) se convirtió, probablemente, en el primer autor en explicar las reglas generales usadas por estos deportistas para organizar las cargas de entrenamiento durante la temporada. Es por ello que Matveiev haya sido una de las figuras más reconocidas de esos años, sentando los fundamentos de la periodización en el deporte e influenciando muchas otras publicaciones clásicas como las de Ozolin (1970), Harre (1973), Dick (1980), Bompa (1984) o Platonov (1988). El diseño de la temporada de Matveiev comenzaba con un período de preparación (subdividido en una fase genérica y otra especial), que era seguida por un período de competición y concluía con un período de transición entre temporadas (Matveiev, 1977, 1982, 1985).

Este modelo de periodización fue globalmente aceptado por los entrenadores y aplicado de manera extensiva en la mayoría de los deportes. Sin embargo, durante las últimas décadas diferentes autores han cuestionado esta aproximación universal al entrenamiento, ya que no respeta las particularidades de diversas disciplinas deportivas y de los practicantes de alto nivel. El diseño tradicional de Matveiev estaba enfocado para tomar parte en un competición principal por temporada (dos o tres competiciones por año a lo sumo) y diferenciaba entre preparación genérica y específica, con oscilaciones en las curvas de volumen e intensidad. Issurin (2008, 2012) concreta algunos de los aspectos negativos de esta aproximación convencional a la periodización, entre los cuales se podrían señalar el empleo de cargas de trabajo prolongadas, la interacción negativa entre algunas de estas cargas o el hecho de que la combinación de distintos tipos de trabajos podía no ser suficiente estímulo de entrenamiento para atletas de élite. Estas limitaciones derivaban en que algunos deportistas no podían manifestar su potencial máximo durante variadas ocasiones en el transcurso de una misma temporada. Por ello, la necesidad de alcanzar múltiples picos de rendimiento requería la reducción del volumen total de trabajo y la implementación de más cargas de trabajo especializadas, lo que dio lugar al desarrollo de diseños alternativos como los modelos de periodización en bloques (Bondarchuk, 1988; Verkhoshansky, 1990).

Con el paso de los años, los entrenadores han ido tratando de desarrollar modelos de periodización que se adapten más eficazmente a sus particulars disciplinas y, por ello, conceptos como la periodización inversa han sido introducidos en los deportes individuales como una variante a la hora de organizar las cargas de entrenamiento durante la temporada (King, 2000). La periodización inversa (explicada muy someramente como el entrenamiento desde el metabolismo anaeróbico al aeróbico) ha adquirido relevancia durante los últimos años en deportes de resistencia, ya que los atletas comienzan la temporada desarrollando fundamentos de velocidad, potencia y resistencia especifica, lo que les permite adquirir un buen nivel de forma deportiva desde un momento temprano del ciclo anual y participar en un mayor número de competiciones. Esta perspectiva representa una aproximación antagónica a la periodización tradicional (en la que el trabajo se dirige desde el metabolismo aeróbico al anaeróbico) donde los atletas dedican la parte inicial de la temporada al desarrollo de las capacidades básicas, con la consecuente imposibilidad de rendir de manera exitosa en las competiciones durante esta fase de construcción de la forma deportiva. En cualquier caso, se desconoce el verdadero efecto que este tipo de modelos alternativos de periodización (en bloques, inversa, polarizada, etc.) que se han aplicado en deportes individuales pudiera tener en los deportes de equipo

Debido a la falta de información complementaria relevante, muchos técnicos continúan aplicando los principios generales del entrenamiento de los deportes individuales a los colectivos, a pesar de que existen escasas similitudes entre ellos. Más aún, la dinámica de juego tan diferente de deportes de equipo que comparten raíces epistemológicas como el fútbol americano y el fútbol-11 hace que sea imprescindible cuestionar el hecho de que debiesen respetar una filosofía de entrenamiento común. La esencia del fútbol es la relación con el balón y, por ello, es vital que los jóvenes practicantes desarrollen una especial sensibilidad con los pies para destacar en el deporte. Esta característica del juego confiera una diferencia crítica con cualquier otro deporte y determina una matriz de comunicación que no puede ser replicada en ningún otro entorno de práctica. La peculiar configuración de su lógica interna (Parlebas, 2001) otorga al fútbol una estética e incertidumbre especial, representando un enorme atractivo como espectáculo universal al mismo tiempo que abre nuevas direcciones sobre las cuales investigar en cuanto a la organización de su entrenamiento.

La influencia del pensamiento clásico en la teoría y práctica del entrenamiento deportivo

Martín Acero y Vittori (1997, en Martín Acero y Lago, 2005a) afirman que uno de los objetivos de la metodología del rendimiento deportivo debería ser intentar examinar los fundamentos científicos y pedagógicos que permitieran trasladar las posibilidades de rendimiento a su disponibilidad en la competición. La base conceptual para el desarrollo de los métodos de entrenamiento en muchos deportes individuales como la natación, el atletismo o el ciclismo se justificó tras identificar los componentes de la carga de trabajo que suponía la competición para cada disciplina. La información extraída del análisis de la competición era integrada en modelos de rendimiento (Bompa, 1984). Un modelo es una "imitación o simulación de la realidad, construida con elementos específicos del fenómeno que es observado e investigado" (Navarro, 1997).

El desarrollo de un modelo es un proceso que puede llevar varios años, ya que requiere eliminar componentes erróneos e introducir nuevos. Los primeros pasos para el diseño de un modelo son la fase de contemplación, donde el entrenador o investigador observa y analiza el deporte, y la fase de inferencia, donde los elementos que deben ser retenidos son seleccionados y aquellos irrelevantes descartados. Más adelante, los elementos cuantitativos y cualitativos son introducidos, retenidos y el modelo se comprueba en situaciones de entrenamiento y competición hasta que se consolida su versión final (Bompa, 1984). González Badillo (2002) ofrece su explicación personal sobre este proceso:

El modelo de análisis tiene el objetivo de seleccionar, describir e interpretar (explicar) los procesos y características de la actividad deportiva estudiada; verificando las asunciones teóricas y los datos admitidos como válidos en relación con la teoría general del rendimiento deportivo y de cada especialidad particular; y prediciendo, después de la información proporcionada por el modelo, la ocurrencia de determinados procesos y resultados.

El modelo de Hay y Reid (1982) ha sido ampliamente empleado para explicar una jerarquía y relación entre los factores que pueden afectar al rendimiento deportivo. Estos autores definían la creación de un modelo a partir del examen sistemático del rendimiento en una habilidad, mostrando las conexiones entre un resultado particular y los elementos que influían en él. El uso de este tipo de diagramas de bloques puede ser útil para determinar los factores contribuyentes que deben ser mejorados para alcanzar un mayor rendimiento final.

Siguiendo la influencia de autores como Matveiev (1977), Bompa (1984) o Platonov (1988), el rendimiento deportivo se dividió en áreas separadas: preparación física, técnica, táctica o psicología. Cada una de estas áreas fue, posteriormente, subdividida en entidades menores de acuerdo a los indicadores de rendimiento más importantes, con la intención de poder desarrollar métodos de entrenamiento específicos para cada componente y así poder maximizar la prestación en el deporte. Esta aproximación genérica muestra una gran reminiscencia del pensamiento clásico y sigue la segunda máxima del "Discurso del Método" de Descartes: fragmentar un problema en el mayor número de elementos simples y separados como sea posible.

Las estrategias de pensamiento pragmático han sido el fundamento del desarrollo de la ciencia (Balagué y Torrents, 2011) y, desde los tiempos de Galileo (siglos XVI-XVII) ha habido una obsesión con medir y cuantificar todo tipo de fenómenos (Capra, 1996). El razonamiento matemático de Newton y los estudios de Laplace se apoyaron en las disertaciones de Descartes e influyeron en el desarrollo de una interpretación atomista de la naturaleza, que podía ser explicada de la misma manera que el funcionamiento de una máquina perfecta, construida con piezas pequeñas que no guardaban relación entre ellas. Por ello, el todo se podía dividir en partes separadas y todo en el mundo podría ser predicho y explicado con leyes matemáticas exactas. Una vez que el observador tiene la capacidad de abstraerse del entorno, puede estudiar las partes y, desde ellas, entender el todo (Balagué y Torrents, 2011).

Este marco conceptual derivó en múltiples confrontaciones dialécticas: cuerpo contra mente, ciencia frente a filosofía, sujeto y objetivo, teoría y práctica, y así sucesivamente. Sorprendentemente, todavía tiene una enorme influencia en nuestros días, ya que vivimos en una sociedad extremadamente afectada por la compartimentalización y el reduccionismo (Morin, 2000). El método de pensamiento analítico, desarrollado por Descartes, puede resumirse en los siguientes tres pasos (Monzó, 2006): i) dividir un fenómeno complejo en partes más pequeñas; ii) tratar de comprender el comportamiento de cada una de las partes por sí sola y iii) entender las propiedades del todo desde las propiedades de las diferentes partes.

La fragmentación del conocimiento en disciplinas independientes incita a la gente a ser analítica y a reducir las cosas de lo complejo a lo simple, en lugar de construir un concepto global del mundo. Al actuar de esta manera la ciencia trata de construir su objeto alejado del entorno, poniéndolo en situaciones experimentales no complejas (Morin, 1994). Las facultades de ciencias del deporte mantienen reminiscencias del mecanicismo Cartesiano y presentan una diversidad de áreas de conocimiento como la fisiología, biomecánica, antropología, psicología, sociología, control motor o teoría y práctica del entrenamiento, en un intento por examinar el movimiento humano desde tantas perspectivas como sea posible. En cualquier caso, en muchas situaciones el proceso ha tomado la dirección opuesta a la deseada, aislando el conocimiento en lugar de contribuir a comprender la complejidad humana.

El estudio del deportista ha sido absorbido, tradicionalmente, por esta visión determinista de la naturaleza. Los componentes del rendimiento fueron identificados, aislados y desintegrados en elementos más simples. Al establecer este proceso se pretendía que, al modificar las variables de una en una, se pudiesen elaborar leyes genéricas que permitiesen predecir el comportamiento del sistema bajo diferentes condiciones (Martín Acero y Lago, 2005a). La concepción del ser humano de esta manera mutila sus peculiares características personales, ya que es considerado como una máquina que puede ser externamente programado para responder linealmente a los estímulos aplicados, sin ninguna interacción con el entorno. El producto se favorece sobre el proceso y se buscan algoritmos matemáticos para explicar relaciones de causa-efecto entre las diferentes partes y el funcionamiento como un todo.

El análisis de la competición en los deportes colectivos ha seguido habitualmente este tipo de procedimientos mecanicistas y el rendimiento de los equipos se ha examinado estudiando el rendimiento individual de los jugadores que formaban parte de la escuadra. Por ello, todas las investigaciones iniciales se llevaron a cabo a través de las lentes de los deportes individuales, fragmentando los factores de rendimiento para ser capaces de aplicar los principios que se habían mostrado efectivos para atletas de determinadas disciplinas (Lago, 2002). Esta manera de proceder ignoraba el complejo rango de interacciones que se pueden encontrar entre los miembros de un equipo. Más aún, el rendimiento final se representaba como una suma de factores que eran tratados de manera independiente durante el proceso de entrenamiento, sin que existiese una relación directa con la realidad del juego (Hernández Moreno, 2001; Mombaerts, 1998).

El fútbol no ha sido inmune a esta tendencia factorial y tanto el jugador como el juego han sido desacoplados para ser estudiados fuera de su contexto específico. Esta estrategia de pensamiento ha llevado a la división del jugador en dimensiones separadas (física, técnica, táctica y mental/psicológica) o a la disociación de los momentos del juego (ataque, transición ataque-defensa, defensa, transición defensa-ataque). Este tipo de análisis permite niveles más profundos de estudio, ya que las capacidades físicas pueden ser clasificadas en fuerza, resistencia o velocidad, o incluso ser subdivididas en menores componentes como la fuerza explosiva, fuerza elástica o fuerza reactiva, y así sucesivamente.

La mayor parte de la investigación inicial en el fútbol se llevó a cabo bajo la influencia de la psicología conductista y el interés de estos estudios se centraba en lo que el jugador era capaz de hacer, es decir, en la conducta observada. Ekblom (1986) fue uno de los primeros autores que describió un modelo de rendimiento fisiológico en el fútbol, tomando en consideración información sobre las características temporales y los requerimientos físicos del juego y el perfil fisiológico de los futbolistas. Empleando un procedimiento similar, Bangsbo (1994) determinó las demandas del fútbol combinando observaciones relevantes durante el juego real, medidas fisiológicas durante el entrenamiento y la competición y examinando la capacidad física de jugadores de alto nivel.

La integración de la información obtenida de la competición con aquélla de futbolistas que han tenido éxito en el deporte ha sido la aproximación de investigación más extendida hasta nuestros días. Varios estudios han concluido que los futbolistas profesionales de alto nivel recorren entre 10-12 km durante un partido de competición, con un 20-25% de esta distancia recorrida a velocidades por encima de los 14 km/h (Bradley *et al.*, 2009; Dellal *et al.*, 2011; Rampinini *et al.*, 2007). Estas demandas físicas pueden verse influenciadas por una variedad de factores como el puesto específico, el nivel de la competición, el porcentaje de posesión de balón de cada equipo, el momento de la temporada o el estado de entrenamiento, entre muchos otros condicionantes (Bloomfield *et al.*, 2007; Di Salvo *et al.*, 2007; Gregson *et al.*, 2010; Mohr *et al.*, 2003). Los valores cardíacos medios que un partido demanda en un futbolista representan alrededor del 85% de su frecuencia cardiaca máxima individual (Stolen *et al.*, 2005). En relación al perfil antropométrico de los jugadores de alto nivel, la estatura media está en torno a 1,80-1,85 m, con una masa corporal de 75-80 kg. Otras capacidades físicas que han sido examinadas en esta población de futbolistas revelan las siguientes características como promedio: valores de consumo máximo de Oxígeno de entre 60-65 ml/kg/min, velocidad de carrera en el umbral anaeróbico de unos 14 km/h, 50 cm de altura en el salto con contra-movimiento, esprintar 20 m en menos de tres segundos y movilizar 200 kg en el ejercicio de media sentadilla (Hoff, 2005; Stolen *et al.*, 2005). Muchos de estos estudios infravaloran la capacidad de producción y absorción de fuerzas por parte del músculo, ya que el rendimiento físico no depende tanto de cuánta distancia se recorra ni de los valores de frecuencia cardiaca, sino de la habilidad para acelerar y desacelerar de manera repetida durante el juego o, dicho de otro modo, de realizar manifestaciones de potencia en el transcurso del partido, al mismo tiempo que se debe intentar que haya la mínima pérdida de calidad en la ejecución de las citadas acciones.

La gran mayoría de las investigaciones publicadas hasta el momento se han ceñido a los requerimientos condicionales o bioenergéticos, lo que ha favorecido el desarrollo de modelos de rendimiento físico de los futbolistas. En la actualidad, los clubs de élite emplean sistemas semiautomáticos de reconocimiento de la imagen para determinar las posiciones que los jugadores ocupan sobre el terreno de juego en el devenir del partido (que se conocen como técnicas de "tracking") y así poder calcular parámetros físicos individuales. Los datos obtenidos al utilizar estos procedimientos incluyen la distancia total recorrida, la distancia a alta velocidad o esprintando, el número de esprints, las aceleraciones y desaceleraciones, y otros índices metabólicos que se pueden expresar en relación a intervalos del juego u otras variables como si el equipo tiene o no la posesión del balón. Estos parámetros se utilizan para establecer perfiles individuales y de cada puesto específico, al tiempo que permiten la comparación con compañeros y adversarios. De manera paralela, los datos físicos se complementan con parámetros técnico-tácticos (recogidos con técnicas de "eventing" para registrar los eventos que suceden durante el juego) que desde un punto de vista individual y colectivo recogen aspectos como el número de pases, precisión, asistencias, centros al área, tiros a puerta, goles, entradas, despejes, interceptaciones o duelos. Todo esta información se incluye en amplios dossiers que los clubs reciben a la conclusión de los partidos y hace posible el desarrollo de modelos de rendimiento físico y técnico para cada jugador particular o equipo.

La monitorización y la cuantificación de la carga representa otro elemento clave en el deporte para complementar el análisis de la competición (Mújika, 2013) y se ha convertido en una competencia esencial a adquirir por parte los científicos del deporte y preparadores físicos. La necesidad de certezas ha acrecentado la importancia de recoger la mayor cantidad de datos como sea posible de las sesiones de entrenamiento: distancias recorridas, aceleraciones-desaceleraciones, potencia metabólica, frecuencias cardiacas, número de saltos, pases, duelos, ratios de percepción del esfuerzo, muestras de sangre, orina o saliva, bienestar, peso, sueño, nutrición, cuestionarios psicológicos, etc. Un gran número de dispositivos y aplicaciones han ido proliferando durante los últimos años para ayudar en este proceso con el fin de evaluar de manera precisa el rendimiento durante el entrenamiento, tratando de tener un control objetivo (absoluto) de la situación.

Muchos entrenadores han hallado cobijo bajo el paraguas de esta concepción mecanicista del fútbol moderno ya que, hasta cierto punto, parece que lo que no se puede medir no existe (Lillo, 2009). La información proporcionada por las herramientas de análisis del juego o los tests físicos ayudan a descomponer el rendimiento de los futbolistas en diferentes áreas buscando indicadores críticos y, una vez que estas variables relevantes son detectadas, el entrenamiento se orienta en desarrollarlas de manera aislada. Esto implica que los valores individuales se comparan con los modelos de de referencia para poder determinar la situación inicial del futbolista e identificar los parámetros finales que debe alcanzar, por lo que el entrenador únicamente debe seguir un programa de entrenamiento previamente validado para llevar al futbolista a través de un camino cerrado. Dicho de otro modo, si un futbolista manifiesta una disminución de la distancia recorrida a una elevada velocidad en los instantes finales del partido, un preparador físico se encargaría de mejorar su condición física aeróbica con series de carrera a alta intensidad. De manera similar, si un futbolista tiene un mal rendimiento en una prueba de esprints repetidos su entrenamiento en las siguientes sesiones debería estar basado en el metabolismo anaeróbico. Igualmente, si un futbolista muestra una discreto porcentaje de acierto en los pases a corta distancia, el jugador debería trabajar sobre sus habilidades de pase durante la siguiente semana. En definitiva, la receta milagrosa consistiría en tratar de ir poniendo "parches" durante la semana sobre las deficiencias detectadas en la competición.

Las tareas de entrenamiento y los métodos empleadas para llevar al futbolista a través de este proceso cerrado se conocen como "progresiones de ejercicios" o "progresiones de enseñanza" (Seirul·lo, 1999). Esto otorga al entrenador un papel esencial en el proceso, ya que se encarga de transmitir la información al deportista a través de un canal de comunicación unidireccional. El futbolista aprende por la repetición de ejercicios que han sido previamente identificados y aceptados como un camino genérico válido para todo tipo de jugadores. La secuenciación y progresión de los ejercicios se basa en las experiencias previas del entrenador, alimentando la falsa sensación de que no hay otras posibles alternativas (Balagué y Torrents, 2011).

Bajo esta concepción convencional del proceso de entrenamiento el técnico mantiene su parcela de autoridad y comanda el desarrollo del jugador. La capacidad de tener un control absoluto de la situación es el deseo de muchos entrenadores y, para ser capaces de ellos, es más fácil tener alumnos sumisos en lugar de personas con pensamiento divergente. Esta intervención lineal favorece la génesis de futbolistas robotizados, que necesitan el constante feedback externo del entrenador para actuar durante el partido. El entrenador tiende a ceñir la libertad del jugador con instrucciones del tipo, "cuando veas al lateral conducir el balón, encímale". Este tipo de automatismos aprendidos por los jugadores infraestiman la variabilidad de situaciones que pueden ocurrir durante el juego. En este escenario, incluso entrenadores de alto nivel como Wanderley Luxemburgo defendieron los beneficios de que los jugadores utilizasen auriculares durante los partidos para escuchar las instrucciones del entrenador (Borasteros, 2005), replicando el método que emplean los ciclistas profesionales para atender a las órdenes de sus directores de equipo.

Es muy probable que los entrenadores que comparten esta filosofía controladora estarían encantados de asistir a la RoboCup, donde participan equipos integrados enteramente por robots. El objetivo de estos programadores es batir a un equipo Campeón del Mundo con un equipo formado por robots autónomos, bajo las reglas oficiales de la FIFA, antes del año 2050 (Kitano y Asada, 2002). Afortunadamente jugadores como Messi, Modric, Neymar, Ibrahimovic, Pirlo, Luis Suárez, Ribéry, Agüero, Silva, Iniesta o Xavi, que no siguieron los patrones estandarizados de educación y su perfil físico era diferente al sugerido por los denominados expertos, han sido de los más determinantes durante la década pasada, ya que eran capaces de producir comportamientos impredecibles. Jorge Valdano (citado en Suárez, 2012) aporta luz a este respecto al relatar:

> *En la actualidad, Messi lo hace todo más rápido y mejor que nadie. Gana partidos él solo, y muchos. Aún descubriendo su patrón creativo, no hay manera de pararlo. Únicamente en jauría y fuera del reglamento. Agüero y Tévez te devuelven al juego primitivo, con ese aspecto de los tipos que le perdieron el miedo a todo. Tévez contó que hubo un tiroteo a la puerta de su casa y todos se echaron al suelo. ¿Cómo hablarle del miedo escénico a un tipo que le pasaron balas por encima? Es saludable, mucho, que cuando hay tantos que pretenden reducir los riesgos del fútbol, aparezcan estos jugadores que se ríen de todas las fórmulas. No conocen ninguna y, sin embargo, las resuelven todas.*

La mayoría de los actuales sistemas formales de enseñanza y aprendizaje se estructuran bajo los mismos principios, que limitan el desarrollo y la demostración del talento y la creatividad. En lugar de ello, la sociedad busca individuos que no comprometan los mensajes de las autoridades gobernantes, generando personas sin pensamientos discordantes. Los programas de entrenamiento para el fútbol han tomado pasos en la misma dirección, lo que probablemente lleve a homogeneizar el nivel de los futbolistas por todo el mundo, proliferando jugadores industrializados de clase media. Esto es, todos los futbolistas están cincelados de la misma manera: especializados posicionalmente, con un desarrollo físico armónico y un correcto manejo de todas las habilidades técnicas básicas. Por ello, no es de extrañar que Valdano (citado en Cano, 2009) advierta "si sólo fabricamos jugadores obedientes, no nos quejemos de la falta de líderes".

Los programas tradicionales de entrenamiento se centran en el hemisferio izquierdo del cerebro, que representa el lado lógico y racional, mientras que al hemisferio derecho, a cargo de las emociones y la creatividad, se le presta poca atención. Se ha demostrado que la estimulación de ambos hemisferios cerebrales favorece la adquisición de múltiples habilidades cognitivas y motrices y, por ello, debería ser prevalente durante el entrenamiento del fútbol. Durante los próximos años, los estudios basados en la neurociencia ayudarán a incrementar nuestro conocimiento sobre cómo nuestro cerebro aprende y los cambios neuronales que ocurren durante este proceso.

El diseño e implementación en los entrenamientos de tareas con un adecuado nivel de variabilidad estimula la plasticidad del cerebro y la creación de nuevas sinapsis en el sistema nervioso de los jugadores. Esto se antoja esencial ya que el "fútbol nace en el cerebro, no en el cuerpo" (Sacchi, citado en Wilson, 2013). Estas tareas deben promover las interacciones entre los futbolistas puesto que la inteligencia se desarrolla cuando las personas colaboran y cooperan con otras personas para solventar los problemas (Punset, 2007). Adicionalmente, el entrenador debe tener las competencias adecuadas para gestionar las emociones durante el proceso de entrenamiento, lo que refuerza la idea de que la neurociencia, o materias afines, se conviertan en contenidos imprescindible a incluir en los planes de estudios de todas aquellas enseñanzas de formación de técnicos deportivos.

En la actualidad, son muchos los clubs que se jactan de funcionar como grandes empresas e incluyen atractivos diagramas en su organigrama, estando las personas que ocupan las posiciones elevadas de la jerarquía más familiarizados con datos numéricos, gráficos y presentaciones audiovisuales que con parámetros que tratan de explicar la complejidad del juego y el entendimiento de las relaciones humanas. Esto hace que la cuantificación y modelación del rendimiento de un jugador o equipo a través de datos objetivos represente una tentación irresistible para aquellos que viven del fútbol pero que realmente no alcanzan a comprenderlo, puesto que siempre resulta más sencillo emplear fotografías y gráficas llamativas que descodificar la información valiosa del juego.

Esta concepción tecnológica del fútbol ha justificado la proliferación de especialistas para la diferenciada interpretación y tratamiento de cada componente del rendimiento y ha abierto paso a una era en el análisis gobernada por el denominado "big data". En este sentido, muchos equipos tratan de replicar la organización de los sofisticados equipos de Fórmula-1, en los cuales los ingenieros se encargan del correcto funcionamiento de cada una de las piezas del coche. Bajo este paradigma teórico, un perfecto ensamblaje de las partes permitiría alcanzar un todo superior y un conocimiento completo del objeto de estudio. Esto ha dado lugar a una hiperespecialización de las realidades, eliminando todas las fuentes que pudieran comprometer las certezas absolutas (Morin, 1994), ya que preferimos concebir la realidad como un modelo simple que podamos comprender (Krishna, 2004, en Cano, 2009).

Aunque esta aproximación teórica nos pudiera parecer muy coherente, existen grandes inconvenientes que comprometen su aceptación universal ya que, cuando se trata de aplicarla en la práctica surgen importantes problemas, principalmente debidos a la falta de un lenguaje común: el del fútbol (Verheijen, 2013). Cada uno de los expertos puede ser una eminencia mundial en su disciplina, pero carece de conocimiento sobre el elemento esencial que contextualiza la situación. Sorprende, por lo tanto, que nos encontremos con tantos gurús fagocitando en torno a los entrenadores principales de los equipos. Estos personajes adquieren roles adyacentes y elaboran sus hipótesis bajo una reconstrucción de la realidad ajena a los constreñimientos de la competición, amotinándose en su conocimiento parcelario. Como se pueden extraer tantos datos de un partido, cada especialista siempre encontrará una excusa para justificar la derrota y delegar la responsabilidad en aquello que más le interese en cada momento. Al actuar de esta manera se construyen teorías alejadas de las circunstancias del juego real (Cano, 2009), sin respetar la interacción entre los subsistemas de los jugadores y el entorno (Araújo *et al.*, 2006). O'Connor y McDermott (1997) alertan metafóricamente sobre este procedimiento al reseñar que nadie desmontaría un piano para conocer cómo suena.

Para ilustrar esta estrategia operativa y sus limitaciones podemos poner un ejemplo práctico. Un equipo de alto nivel realiza test físicos al finalizar la pretemporada y un jugador muestra una registro discreto en un test de velocidad sobre 20 metros. Después de analizar todos los resultados, el cuerpo técnico decide que el futbolista necesita realizar un entrenamiento específico de velocidad y, para ello, contrata al mejor especialista en la materia del país, que entrena a velocistas Olímpicos. Después de haber realizando un entrenamiento específico de velocidad durante dos meses, el jugador repite el test y mejora su marca en 0,05 segundos. Todos los miembros del cuerpo técnico se juntan y se congratulan del éxito de la intervención. Pero cuando llega el momento de volver a competir, las sensaciones no son tan buenas, puesto que los técnicos observan que el jugador llega tarde a las acciones esenciales del juego. Aunque el jugador es ahora más veloz en carreras lineales sobre 20 metros, no es capaz de aplicar la ganancia en el contexto del juego, lo que da lugar a un amplio abanico de preguntas: ¿Es la mejora en la marca del test mayor que el error de medición?, ¿corrió el futbolista a su máxima velocidad en las dos ocasiones en las que realizó la prueba?, ¿interfirieron los contenidos del entrenamiento de velocidad con los del fútbol? y el aspecto más relevante, ¿qué relación tiene la velocidad en un esfuerzo lineal descontextualizado con las demandas perceptivo-motrices del fútbol? Este podría ser un ejemplo de actuación en un equipo de fútbol que trabaja con una estrategia reduccionista y determinista. Como siempre sucede en estos casos, "cuando los resultados no ocurren como se esperaba, se emplean explicaciones *ad hoc*" (Balagué y Torrents, 2011). Volviendo al ejemplo anterior, si después de la intervención el jugador no es capaz de mostrar mejoras en su prestación de velocidad bajo las situaciones de juego real, una explicación *ad hoc* empleada por el técnico de velocidad podría ser que el entrenador principal no está colocando al jugador en la demarcación adecuada.

No es extraño encontrar entrenadores con una gran experiencia práctica sobre el terreno de juego que, en pocos segundos y sin ninguna herramienta más allá de sus agudizados sentidos, son capaces de identificar las variables críticas para comprender a un jugador, equipo o partido. En cualquier caso, en la situación actual parece que muchos entrenadores no entienden realmente el juego y necesitan rodearse de consultores que les reportan toneladas de datos cuantitativos, lo que les proporciona una mayor confianza sobre lo que hacen. Por esta razón, estos entrenadores buscan la aplicación de tests universales para evitar el sonrojo que les produce no ser capaces de leer la competición, justificando sus argumentos en parámetros que ofrecen una visión segmentada de la confrontación. Balagué y Torrents (2011) afirman que "cuando se mide se pierde mucha más información que la que se obtiene". Por ello, no importa la cantidad de datos que recojamos, puesto que sólo nos proporcionarán una falsa sensación de control, obnubilando nuestra capacidad reflexiva (Cano, 2009).

De manera similar, esta tendencia se observa también durante las sesiones de entrenamiento, donde algunos entrenadores delegan la mayor parte del tiempo de práctica en otros colaboradores que entretienen a los jugadores en el gimnasio, corriendo o realizando sencillos ejercicios técnicos, encargándose el entrenador principal únicamente del partidillo con el que se concluye la sesión. El entrenamiento se organiza de tal manera que el objetivo es que los jugadores alcancen una serie de parámetros físicos en los dispositivos de GPS que llevan colocados en la parte alta de la espalda en lugar de profundizar sobre la esencia del mismo: el desarrollo de la coordinación interpersonal entre los jugadores para optimizar la organización (táctica) del equipo. Curiosamente, suelen ser estos entrenadores los que más tarde lamentan la falta de tiempo disponible para poder entrenar con el equipo.

A pesar de los abundantes datos descriptivos que se proporcionan a los entradores de fútbol en la actualidad, se antoja imprescindible aumentar la calidad de la información que se extrae de la competición y el entrenamiento. La actividad intencional que los jugadores procesan internamente durante el juego no se relaciona necesariamente con la respuesta motora que detecta un observador externo (Martín Acero y Lago, 2005). Es por ello que, el examen de las relaciones críticas entre los compañeros y adversarios bajo los condicionantes del escenario de competición debería ser la mejor herramienta para evaluar a un jugador o equipo. Nada mejor que leer a Juanma Lillo (2009) para resumir esta sección, quien afirma que "la inteligencia reside en saber convivir con esta certeza, no en construir certezas que nos hagan creer que no existe la incertidumbre".

Nuevas direcciones para estudiar los deportes de equipo

Tal y como se discutió en el apartado anterior, la aproximación clásica al entrenamiento de los deportes colectivos se ha basado en la consideración del deportista como una máquina, fragmentando sus componentes de rendimiento y entrenándolos de manera aislada mediante metodologías lineales, en la búsqueda de un efecto sumatorio al finalizar el proceso. Llegados a este punto, una de las cuestiones que nos podríamos plantear es, ¿podemos utilizar métodos analíticos para resolver problemas complejos? (Le Moigne, 1994, en Couto, 2018).

La influencia de la psicología conductista es notable en la concepción tradicional del entrenamiento; cada respuesta va precedida de un estímulo sin prestar atención a los sucesos que ocurren en el interior de la persona. Por ello, bajo este prisma, todos los deportistas que siguen el mismo tipo de programa deberían alcanzar idéntico estadío final. Esta aproximación ha sido muy habitual en el entrenamiento deportivo, dando lugar a modelos de rendimiento desarrollados por técnicos que, basados en sus propias experiencias, creían que su modelo era la mejor solución para un deporte particular (Seirul·lo, 1999).

A lo largo de los años podemos encontrar multitud de ejemplos de deportistas de alto nivel que han escapado de los modelos estandarizados y su éxito ha modificado los postulados de entrenamiento universalmente aceptados hasta dicha fecha. Por ello, esos entrenadores que pensaban que no había otras posibles alternativas a sus modelos tuvieron que dar paso a nuevas direcciones en el rendimiento. Uno de los mejores ejemplos para ilustrar esta idea fue el caso de Richard "Dick" Fosbury, que revolucionó el salto de altura con su técnica dorsal. A pesar de las reacciones escépticas iniciales de los entrenadores de atletismo, su técnica de salto fue adoptada universalmente por todos los saltadores de altura después de ganar la medalla de oro en los Juegos Olímpicos de Méjico 1968 y fue bautizada con el nombre de "Fosbury Flop".

Esta solución personal a una situación dada contribuye a reforzar la importancia de respetar lo que sucede en el interior de la persona cuando realiza cualquier tipo de actividad, que fue el fundamento para el desarrollo de las teorías cognitivas. En conjunción con las teorías del procesamiento de la información, la aplicación de la cibernética (desarrollada por Wiener en 1948) tuvo un gran impacto para comprender cómo la información motora era codificada y procesada (Schmidt, 1982). Bernstein, entre 1930 y 1940, anticipó mucho de los principios cibernéticos y los aplicó al ámbito del aprendizaje de las habilidades motrices, aunque sus estudios sólo fueron traducidos del ruso al inglés en 1967 (Bernstein, 1967). Bajo esta perspectiva, el deportista desarrolla y programa un proyecto de acción basándose en sus experiencias, utilizando el feedback intrínseco y extrínseco para ajustar su rendimiento (Ruíz Pérez, 1994). Adicionalmente, a partir del desarrollo de la psicología ecológica (Gibson, 1979) se pudo demostrar cómo el entorno juega un rol crítico durante los procesos de aprendizaje y no puede ser concebido como un elemento independiente. La conjunción de los estudios de psicología ecológica con los de las dinámicas no lineales, dieron lugar al desarrollo de la dinámica ecológica (Araújo *et al.*, 2006), que trata de explicar cómo los patrones de coordinación emergen y se adaptan a contextos específicos de rendimiento (Chow *et al.*, 2016; Davids *et al.*, 2014).

Por estas razones, no todas las personas reaccionan de la misma manera a un determinado sistema de entrenamiento o se adaptan universalmente a un modelo de referencia. Esto sucede porque cada deportista se ve influenciado por cómo procesa la información y por lo que sucede dentro de él una vez que analiza el entorno, elaborando su estrategia particular para comprender la situación (Seirul·lo, 1999). Por ello, Martín Acero *et al.* (2013) afirman que la carga informacional interna (neurofisiológica, perceptiva y emocional) es mucho más importante que la carga fisiológica interna y que la carga externa, a la hora de examinar los deportes de equipo.

Como la aproximación tradicional al entrenamiento no parece contemplar la globalidad de las características específicas de los deportes de equipo, durante las últimas décadas diferentes autores han venido trabajando en el desarrollo de una teoría y práctica especial del entrenamiento o, más específicamente, una teoría general de los juegos deportivos (Martín Acero y Lago, 2005a). Al ser un área novel de investigación su fundamentación científica es aún incipiente, lo que hace que mucha gente aún dude entre mantenerse en su zona de confort protegidos por las ideas teóricas tradicionales o, alternativamente, penetrar en un área desconocida guiados por su intuición o experiencia (Balagué y Torrents, 2011).

Los deportes de equipo representan un campo de conocimiento diferente en comparación a los deportes individuales y, por ello, extrapolar los modelos que se han comprobado exitosos en las disciplinas individuales minusvalora su diferente naturaleza (Álvaro, 2002). Mientras que los deportes individuales se basan habitualmente en habilidades cerradas llevadas a cabo en entornos relativamente estables, los deportes de equipo son habilidades abiertas (Knapp, 1977, en Greghàigne, 2001), en un entorno inestable y con compañeros con los que hay que establecer relaciones de cooperación y oponentes que interfieren directamente en la prestación final. Además de estas características, Álvaro (2002) añade la necesidad de desarrollar comportamientos discontinuos, adaptativos y complejos en los límites espacio-temporales que dictaminan las reglas de juego. Cada situación, cada partido y cada competición representa una narración diferente con similares elementos característicos (Martín Acero y Lago, 2005a).

El libro "El Acto Táctico en Juego", escrito por Friedrich Mahlo en 1969 fue, probablemente, una de las más tempranas referencias sobre una perspectiva diferente para interpretar los deportes colectivos, subrayando la necesidad de comprender lo que sucede en el interior de la persona durante el proceso de toma de decisión. De esta manera, Mahlo introdujo un componente diferencial en el entrenamiento: el pensamiento del deportista, esto es, su implicación en la resolución de los problemas intrínsecos del juego. Dadas éstas circunstancias, la acción de juego involucra el estudio del jugador mientras juega, sobrepasando la intención pretérita de estudiar al jugador de manera aislada y descontextualizada.

Entre los años 1970 y 1990 se desarrollaron modelos específicos para estudiar los deportes de equipo. Por ejemplo, el modelo de las fases de juego desarrollado por Bayer (1986) -también denominado modelo funcional en Álvaro *et al.* (1995)- estudiaba el deporte en relación con el equipo que tenía la posesión de la pelota, lo que definía si el equipo estaba en una fase de ataque o de defensa y, consecuentemente, los roles de los jugadores. La contribución de autores como Hagedorn (1972), Morino (1985), Godik y Popov (1993) o Bauer (1994) (todos ellos citados en Martín Acero y Lago, 2005a) ayudaron a examinar la eficiencia de las acciones de los jugadores a escala individual, grupal o de equipo. Estos niveles de configuración son extremadamente importantes para diagnosticar el rendimiento del equipo y el resultado final en la competición y son clasificados por los propios Martín Acero y Lago (2005a) en las siguientes escalas:

‣ **Micro-estructura**: Eficiencia individual en duelos elementales (situaciones 1 contra 1).

‣ **Meso-estructura:** Eficiencia grupal en duelos parciales (situaciones 2 contra 2, 3 contra 3).

‣ **Macro-estructura:** Eficiencia del equipo en duelos totales (situaciones 11 contra 11).

Parlebas (1988) presentó una perspectiva para estudiar los deportes centrándose en el deportista y los motivos de sus acciones durante el juego. En su intento por racionalizar las actividades motrices definió una nueva área de conocimiento, la praxiología. Parlebas (1988) clasificó todas las prácticas deportivas y concluyó que el fútbol era un deporte en el que los practicantes tienen que afrontar fuentes de incertidumbre que provienen del entorno, compañeros y adversarios. Esto infiere que la realidad del fútbol sea muy diferente a la de otros deportes como el salto de longitud en el atletismo, donde el saltador se enfrenta a una situación mucho más estable y controlada. Las relaciones con compañeros y la interacción con los oponentes configura un diálogo peculiar donde las comunicaciones positivas intragrupales se mezclan con las contracomunicaciones negativas intergrupales (Parlebas, en Martín Acero y Lago, 2005a).

Además de clasificar los componentes del rendimiento, Parlebas (1988) hace referencia a una serie de universales (factores) que actúan como parámetros configuradores de la estructura de cada deporte y que Hernández Moreno (1994) resume en: reglas del deporte, técnica o modelos de ejecución, táctica, espacio (sociomotor) de juego, tiempo deportivo, comunicación motriz y estrategia motora. Estos universales asignan una estructura única a cada especialidad (Sampedro, 1999). La expresión concreta de estos elementos estructurales permite desarrollar una visión más integral de la realidad específica de la competición para cada deporte.

Los modelos para comprender los deportes de equipo han seguido evolucionando durante los años pasando de los modelos clásicos, como el bioenergético o el praxiológico, hacia los sistémicos (Sampedro, 1999). Los modelos sistémicos estudian la relación entre los participantes en el deporte y los componentes bajo la idea de totalidad, en el que la modificación de cualquier factor afecta el rendimiento global del sistema, ya que éste está formado por un grupo de elementos que interactúan entre sí (Greháigne, 2001). Autores como Durand (1979), Menaut (1982) o Sanvicens (1984) (todos ellos citados por Sampedro, 1999) ayudan a entender la noción de los equipos como sistemas complejos, apoyándose en la relación e interacción dinámica entre el juego y el jugador. Esto tiene una importancia crucial para el entrenamiento, que debe ser abierto y variable, y en el que hay que diseñar situaciones en las que el jugador experimente y tenga distintas alternativas entre las cuales elegir, teniendo incluso la capacidad de aprender de sus errores ya que, en última instancia, esto mejorará sus habilidades para la toma de decisiones bajo el stress de la competición.

Por todo lo anterior, el análisis de la acción de juego en los deportes de equipo debe ir más allá de los procedimientos tradicionales de observación y requiere la determinación de variables cualitativas multipersonales (Martín Acero y Lago, 2005a). Esta idea puede servir para ilustrar una evolución del objeto de estudio desde la publicación de la obra referencial de Mahlo (1969): de la acción de juego a la interacción en el juego. Podríamos ir incluso un poco más allá y en los próximos años incluir la retroacción como un objeto de estudio en el juego. Desde un punto de vista práctico esto significa que la acción de un jugador se ve influenciada por la interacción y retroacción con los compañeros, adversarios y el entorno. Debido a su importancia conceptual, el apartado I.2 tratará de aportar luz sobre esta aproximación del estudio del fútbol como un sistema dinámico complejo.

I.2 EL PARADIGMA DE LA COMPLEJIDAD EN EL FÚTBOL

El fútbol comenzó a ser objeto de estudio para los científicos del deporte hace unas pocas décadas. La organización en el año 1987 en Liverpool del Primer Congreso Internacional sobre Ciencia y Football ("First World Congress on Science and Football") representó un intento por agrupar a expertos internacionales de distintos deportes con un código similar al fútbol (rugby, fútbol Gaélico, fútbol Australiano, etc.) para ayudar a compartir y expandir los conocimientos existentes hasta la fecha. Desde entonces, el número de artículos publicados en revistas de investigación ha ido incrementándose de manera exponencial, con un gran interés sobre todas aquellas ciencias que inciden en el rendimiento como la biomecánica, fisiología, medicina o psicología. Revisando las publicaciones existentes hasta la fecha, podemos observar como la gran mayoría de los investigaciones se han centrado en la cuantificación de datos objetivos del rendimiento, mientras que son muchos más escasos los estudios de carácter cualitativo abordados en la literatura.

Si nos desplazamos de la teoría a la práctica y vamos a ver cómo entrenan hoy en día los equipos profesionales, seguimos observando multitud de estrategias heredadas del pensamiento clásico. Muchos técnicos continúan concibiendo al futbolista como un atleta y siguen perpetrando el entrenamiento independiente de sus capacidades físicas para, una vez conseguido este propósito, ponerle a jugar al fútbol. El desarrollo físico de este atleta universal se basa en programas de entrenamiento que abordan cada capacidad por separado, utilizando tests físicos como herramientas de valoración referencial para verificar la efectividad del programa. En paralelo, otros entrenadores trabajan sobre las habilidades técnicas del jugador, es decir, la relación entre el jugador y la pelota que se concibe como el componente específico del rendimiento. Una vez que cada miembro del cuerpo técnico concluye esta aproximación individualizada al entrenamiento (el jugador ha alcanzado las marcas previstas en los tests físicos y maneja las habilidades técnicas básicas), todos los jugadores son reunidos para desarrollar los aspectos tácticos. Esta visión mecanicista tradicional debe ser cuestionada y sustituida con nuevas teorías y metodologías que estén en consonancia con la realidad del juego. El pensamiento analítico, los test físicos, el desarrollo de las capacidades físicas de manera aislada, promover atletas en lugar de futbolistas o registrar únicamente datos cuantitativos y objetivos, se antoja una aproximación obsoleta al entrenamiento del fútbol contemporáneo.

Fundamentos del pensamiento complejo

La perspectiva clásica para abordar la investigación durante el siglo XX no satisfacía todas las preocupaciones de las diferentes áreas científicas. Especialmente, la aplicación del razonamiento reduccionista a la biología dejaba muchas cuestiones trascendentales sin resolver, elementos sin repuesta que enfatizaban la necesidad de un nuevo marco de pensamiento (Capra, 1996). El comportamiento de los seres humanos manifiesta propiedades que no pueden ser estudiadas bajo la aproximación Cartesiana-Newtoniana, es decir, sólo con conceptos y modelos deterministas. Esto condujo a una ruptura revolucionaria o "cambio de paradigma" para lograr un mejor entendimiento de la naturaleza (Kuhn, 1962).

La teoría general de los sistemas, desarrollada por Ludwig von Bertalanffy en la segunda mitad del siglo XX, sentó los fundamentos para la aplicación de conceptos y principios generales para todo tipo de sistemas, independientemente de su naturaleza sociológica, biológica o física (von Bertalanffy, 1976). El prisma mecanístico dio paso a un concepción holística de la naturaleza y los seres vivos, creando una nueva información que no estaba visible anteriormente.

Un sistema se representa por una serie de elementos que interactúan entre sí para lograr un objetivo determinado (Morin, 2000). Las características dependen de la manera en que los componentes están configurados y manifiestan cuatro propiedad categóricas: interacción, totalidad, complejidad y organización (Durand, 1992, en Martín Acero y Lago, 2005a; Morin, 1982, en Silva, 2008). Las propiedades de un sistema no pueden ser explicadas al examinar las partes de manera individual, ya que cualquier cambio en los componentes afecta al todo (Morin, 2000). De manera complementaria, el todo tiene cualidades que las partes no poseen en ellas mismas, aspecto que ya se reflejaba muchos siglos atrás en el holismo clásico de Aristóteles: "El todo es algo más que la suma de sus partes". Los organismos vivos representan un ejemplo de sistemas complejos, por lo que la comprensión de la interacción e interdependencia entre sus partes permite verlos como todos integrales (Capra, 1996).

El desarrollo de la psicología ecológica (Gibson, 1979), el estructuralismo (Lévi-Strauss, 1998) y la sinergética (Haken, 1983), entre otras ciencias, abrió puertas para un nuevo campo de estudio interdisciplinario donde las herramientas y metodologías de investigación podían ser intercambiadas entre distintas áreas para construir conexiones que facilitasen el examen integral del comportamiento humano. Todas estas materias, en aquel momento incipientes, contribuyeron al asentamiento de las ciencias de la complejidad, que han sido empleadas para estudiar de manera transdisciplinar los sistemas complejos, proporcionando un marco teórico para comprender su conducta. El filósofo y sociólogo francés Edgar Morin, una de las grandes referencias del pensamiento complejo, estableció los principios esenciales que guían este paradigma, que fueron resumidos por Balagué y Torrents (2011) en:

▸ **Incertidumbre:** El comportamiento de un sistema complejo no puede ser predicho a largo plazo.

▸ **Entereza:** El todo es mayor que la suma de las partes.

▸ **Interdependencia**: Existe una interacción entre todos los elementos.

▸ **Emergencia espontánea:** La interacción de los elementos crea una nueva entidad que es diferente a la suma de las partes.

Esta revolución conceptual ha recibido diversos nombres como teoría de sistemas, pensamiento sistémico, dinámica de sistemas, dinámica no lineal, dinámica en redes, dinámica compleja, teoría de la complejidad, etc. Capra (1996) específica que sistémico es el término científico más empleado para definir este campo, mientras que teoría de los sistemas dinámicos es, probablemente, el más extendido.

En conjunción con el prisma sistémico, la visión ecológica del mundo resulta crítica para examinar los organismos vivos debido a su íntima conexión con el medioambiente. Los conceptos de homeostasis y entropía contribuyeron a comprender el comportamiento de los seres vivos. La homeostasis, desarrollado por Walter Cannon en los años veinte del siglo pasado (Capra, 1996), representa la habilidad de autorregulación de un sistema, mientras que la entropía se emplea como medida del desorden. La reformulación de la segunda ley de la termodinámica por Ilya Prigogine, así como sus investigaciones sobre sistemas termodinámicas alejados del equilibrio y el fenómeno de la irreversibilidad, que le hicieron ganar el Premio Nobel de Química en 1977, abrieron un nuevo marco teórico para comprender los sistemas vivos.

Dependiendo de la existencia o no de intercambio de energía con el entorno, los sistemas pueden ser considerados abiertos o cerrados, respectivamente (Martín Acero y Lago, 2005a). Debido a que los sistemas abiertos están compartiendo información continuamente con su alrededor, se mantienen fuera del equilibrio (Capra, 1996). Como consecuencia de estas perturbaciones y retroacciones pueden emerger diferentes formas de organización en el sistema, dando lugar a la exploración de regiones noveles de meta-estabilidad. Según Balagué y Torrents (2011), la complejidad sólo existe si tanto el orden como el desorden están presentes, ya que una estructura compleja es consecuencia de la falta de equilibrio (Prigogine, en Martín Acero y Lago, 2005a). Por ello, la complejidad trata con este tipo de incertidumbres y fenómenos aleatorios que determinan una combinación de orden y desorden (Morin, 1994).

La existencia de situaciones de desequilibrio permite que los sistemas abiertos adopten distintas configuraciones o modelos de autoorganización (Capra, 1996). Esto significa que un sistema complejo está permanentemente en un estado dinámico, oscilando entre fases de orden y desorden. El área más efectiva del sistema será aquel situado cerca del límite del caos, ya que permitirá un mayor intercambio energético con el entorno y la emergencia de nuevas formas de complejidad. Es por ello que la complejidad se halle íntimamente asociada con la teoría del caos (Tamarit, 2007), que se emplea para estudiar el comportamiento de sistemas dinámicos altamente sensitivos a las condiciones iniciales.

El estudio de los procesos de autoorganización de los sistemas complejos es extremadamente importante. A diferencia de las máquinas, los organismos vivos tienen propiedades emergentes y se organizan siguiendo un patrón en red en lugar de adoptar una estructura jerárquica. Esta emergencia espontánea refleja nuevas propiedades y un orden en el sistema que no existía en niveles inferiores (Morin, 1994). Balagué y Torrents (2011) afirman que no importa cuánto conozcamos sobre los componentes de un organismo vivo, ya que sin entender cómo interactúan y cómo crean sus conexiones relacionales, nunca podremos saber su comportamiento. Esto es lo que hace que el pensamiento sistémico se concentre en comprender los principios básicos de organización y las relaciones organizacionales, ya que la interdependencia entre los componentes es lo que determina las características esenciales de un sistema (Capra, 1996).

Las herramientas y ecuaciones matemáticas tradicionales -desarrolladas para un mundo lineal- se han probado ineficaces para describir la naturaleza no uniforme de los sistemas complejos (Capra, 1996). Las ecuaciones lineales pueden explicar las relaciones jerárquicas entre variables, pero son inapropiadas para examinar patrones en red ya que éstos presentan trayectorias que pueden ir en todas las direcciones. De manera adicional, pequeños cambios en los sistemas no lineales pueden tener grandes efectos al ser amplificados por una retroalimentación autorreforzada

(Capra, 1996), dando lugar a lo que se conoce como efecto mariposa (de Régules, 2019). Balagué *et al.* (2013) destacan que el descubrimiento de ecuaciones matemáticas no lineales ha contribuido a describir cambios cualitativos en los comportamientos de los sistemas. Por ello, si somos capaces de encontrar las leyes generales que gobiernan las organizaciones podremos solventar problemas en todos los dominios (Balagué y Torrents, 2011).

Existen muchos otros conceptos importantes como atractores caóticos, estructuras disipativas, fractales, redes autopoiéticas, etc. que son cruciales para entender la teoría dinámica de sistemas, pero que se escapan de los objetivos de este libro. En cualquier caso, las ideas presentadas en los párrafos anteriores pueden ser resumidas en la siguiente definición de Capra (1996):

> *La autoorganización es la emergencia espontánea de nuevas estructuras y nuevas forma de comportamiento en los sistemas abiertos lejos del equilibrio, caracterizados por bucles internos de retroalimentación y descritos matemáticamente por ecuaciones no lineales.*

Además de la perspectiva sistémica, la aplicación del pensamiento sintético representa un reto educativo a todos los niveles. Esta es una noción crítica ya que análisis significa aislar algo que se estudia, mientras que síntesis integra aquello que se estudia un todo superior (Capra, 1996). Cuando dividimos el rendimiento deportivo en muchas piezas pequeñas estamos cometiendo el mismo error que cuando usamos continuamente una brújula en una montaña. Si miramos la dirección en cada momento, acabamos moviéndonos en rumbos paralelos y en lugar de estar más cerca de nuestro objetivo nos vamos alejando. Lo mismo sucede en el fútbol; por mucho que fragmentemos el problema nunca estaremos cerca de la verdad absoluta, más aún, estaremos perdiendo el entendimiento de la globalidad del juego. Esto sucede porque la fragmentación no sólo implica la separación de las partes, sino que también conlleva la anulación de las propiedades de un sistema (Tamarit, 2007). Por ello, cuando las partes de un sistema se dividen uno sólo puede adquirir conocimiento; para alcanzar la sabiduría es necesario el pensamiento sintético (Monzó, 2006).

El uso de la síntesis ayuda a comprender cómo las partes colaboran de forma conjunta. Esto da lugar a que la perspectiva se invierta y, en lugar de centrase en las partes aisladas, los principios organizacionales del todo se conviertan en el interés prioritario. De esta manera, el fútbol debe ser comprendido globalmente ya que el todo tiene propiedades debido a las interacciones y relaciones entre sus partes y las relaciones entre el todo y el contexto (Capra, 1996). Puede suceder que en los próximos años en lugar de estudiar los componentes del juego de manera aislada (físico, técnico, táctico, etc.) la dirección del proceso cambie y se favorezca la comprensión del comportamiento de los sistemas complejos, mediante la interacción entre los diferentes elementos. Esto probablemente facilitará el desarrollo de una visión holística del fútbol, como el siguiente apartado tratará de demostrar.

Aplicación del pensamiento complejo al fútbol

Uno de los principales objetivos del proceso de entrenamiento es intentar reducir la incertidumbre que representa la competición, es decir, los entrenadores tratan de modelar el rendimiento del equipo durante la semana para preparar el partido. Verkoshanky documentó en los años setenta una de las primeras visiones de la programación del entrenamiento como un proceso sistémico (Verkhoshansky y Verkhoshansky, 2011). Décadas más tarde, autores como Greháigne *et al.* (1997) o McGarry *et al.* (2002) coincidieron a la hora de concebir a los equipos deportivos como sistemas dinámicos complejos, que podían ser estudiados con herramientas prestadas de la teoría general de sistemas (Passos, 2008). Martín Acero y Lago (2005a) también definieron que un juego deportivo representa un sistema complejo ya que cumple con los principios propuestos por Morin (1994): sistémico, auto-ecoorganizado, ecológico, hologramétrico, bucle retroactivo, recursividad organizacional y reintroducción del sujeto.

Según Davids (en Balagué y Torrents, 2011), las ciencias de la complejidad pueden utilizarse para estudiar de manera efectiva el comportamiento humano durante la actividad física y deportiva. Estas ciencias sientan las bases para una aproximación diferencial a la hora de entender los eventos que ocurren durante los deportes de equipo. Adicionalmente, la correcta aplicación del paradigma de la complejidad implicaría un gran salto para comprender los deportes de equipo y para construir su propia teoría del rendimiento, permitiendo nuevos desarrollos en la metodología de su entrenamientos (Martín Acero y Lago, 2005b). En este sentido, la dinámica ecológica (Gibson, 1979), la dinámica de coordinación (Kelso, 1995) y los enfoques en redes (Passos *et al.*, 2011) se han mostrado efectivos para aumentar la comprensión de los componentes de los deportes y sus dinámicas de juego (Balagué *et al.*, 2013).

En cualquier caso, no todos los deporte de equipo tienen el mismo nivel de complejidad, ya que ésta se relaciona con la variabilidad de las situaciones que pueden suceder dentro del juego (Martín Acero y Lago, 2005a). Llegados a este punto, es importante respetar las diferencias que existen entre los términos complejidad y complicación (Atlan, 1988, 1990, 1991, todos ellos en Martín Acero y Lago, 2005a; Morin, 1994). Una situación compleja ocurre cuando carecemos de información importante para manejar un episodio de juego incierto. Esto no significa que necesitemos más tiempo para resolverlo, sino que necesitamos más conocimiento del que disponemos (Ramos Torre, 1996, en Martín Acero y Lago, 2005a). Por otro lado, la complicación está más relacionada con la idea de dificultad y restricciones temporales para encontrar la solución a una situación.

Al adentrarnos en la realidad del fútbol, podemos encontrar sistemas complejos a distintos niveles: jugadores, equipos y en el juego/partido. Cada una de estas entidades demuestra los principios de complejidad que deben ser respetados al estudiar cada fenómeno. Por los conceptos descritos en la sección anterior, parece claro que los futbolistas deben ser considerados como sistemas complejos, al igual que sucede con los equipos puesto que se hayan constituidos por un grupo de jugadores. En ambos casos, el todo es mayor que la suma de las partes y, por ello, un futbolista es más que la suma de sus capacidades y un equipo es diferente a la mera asociación de sus futbolistas (Mallo, 2013, 2014).

El futbolista debe ser concebido de manera holística, respetando que hay una continua interacción entre todas sus capacidades y entre él y el entorno (Figura I.1). De esta manera, existe una permanente relación entre todas las dimensiones que definen al futbolista, por lo que no podemos diagnosticar el rendimiento a partir del análisis descontextualizado de cualquiera de ellas de manera independiente. Esto permite que jugadores con una aparente peor condición física o genética para jugar al fútbol sean capaces de alcanzar la élite deportiva al autoorganizar sus estructuras o capacidades de una manera diferente. Esta es una de las características esenciales de los sistemas complejos, que son capaces de desarrollar conductas emergentes para adaptarse a diferentes contextos. La solución final se desconoce en el inicio pero emergerá debido a las complejas interacciones entre todas las partes y el entorno. Dos situaciones nunca serán iguales ya que los constreñimientos siempre serán diferentes, lo que hace que la predicción del rendimiento a largo plazo sea muy complicado de llevar a cabo (Balagué y Torrents, 2011).

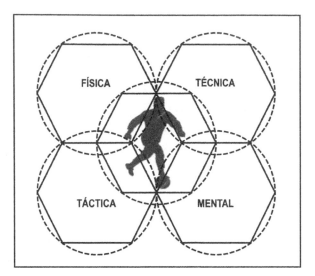

Figura I.1 Relaciones entre las dimensiones del futbolista.

Los equipos representan microsociedades en los que se construyen relaciones en red entre los futbolistas (Teodorescu, 1984, en Martín Acero y Lago, 2005a) y pueden ser estudiados bajo el análisis de la dinámica de grupos (Castelo, 1999). Los estudios llevados a cabo por Morin (1993) ayudaron a clarificar esta idea puesto que las relaciones entre los jugadores crean una nueva identidad colectiva que es diferente de la actividad independiente de los participantes. Al hacer esto, el sistema muestra propiedades que los elementos no presentaban por separado en otro sistema. De nuevo, holístico, interacción, entorno, caótico, comportamiento no lineal, etc., aparecen como conceptos auxiliares que ayudan a describir estos sistemas complejos.

Las alianzas establecidas entre los futbolistas de un equipo pueden tener un efecto multiplicador sobre sus capacidades. Esto conlleva la emergencia de un comportamiento colectivo que modifica el funcionamiento individual de cada jugador. Wilson (2013) ilustra un clásico ejemplo, en palabras de Arrigo Sacchi durante su período de entrenador del AC Milan, para resaltar como la autoorganización puede ser lograda al más alto nivel competitivo:

> *Convencí a Gullit y Van Basten al decirles que cinco jugadores organizados ganarían a diez desorganizados (…) Y se lo demostré. Cogí cinco jugadores: Giovanni Galli en la portería, Tassotti, Maldini, Costacurta y Baresi. Ellos*

tenían diez jugadores: Gullit, van Basten, Rijkaard, Virdis, Evani, Ancelotti, Colombo, Donadoni, Lantignotti y Mannari. Tenían 15 minutos para marcar gol contra mis cinco jugadores, la única regla era que si recuperábamos la posesión del balón o ellos la perdían, tenían que comenzar de nuevo desde 10 metros atrás en su mitad del campo. Hice esto todas las veces y nunca anotaron. Ni una sola vez.

Es extremadamente importante recapitular los enunciados anteriores, ya que considerar un equipo como un sistema refuerza el rol crucial de la interacción entre los jugadores (Figura I.2), yendo más allá de los estudios tradicionales del análisis del juego basados en la acción independiente de los futbolistas. El principio de organización es esencial en este sentido ya que, sin la existencia de relaciones organizacionales entre los jugadores, sólo podrían ser considerados como un grupo (Couto, 2018). Las relaciones entre los futbolistas configuran interacciones en el juego que deben ser modeladas para que pueda emerger la dinámica colectiva deseada, es decir, el patrón que el entrenador pretende que su equipo manifieste de manera regular durante los partidos (Silva, 2008). Por ello, el estilo de juego que alcanza un equipo surge de la interacción entre los jugadores (Frade, 1990, en Silva, 2008) y estas relaciones tienen un significado diferente dependiendo de la totalidad que se genera finalmente (Silva, 2008).

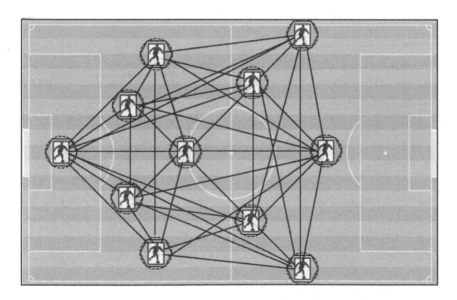

Figura I.2 Red de interacciones entre los jugadores de equipo que adopta una formación en 1-4-3-3.

El proceso para lograr una nueva organización no es inmediato, ya que el sistema -equipo- tiene que atravesar fases inestable hasta que, finalmente, emerge una organización más efectiva. Balagué y Torrents (2014) resaltan que los jugadores deben practicar este nuevo comportamiento colectivo durante el entrenamiento para que pueda estabilizarse. A su vez, este comportamiento debe ser estable pero no automático, puesto que requiere de flexibilidad para adaptarse al entorno y a las diferentes situaciones de entrenamiento y competición. De manera adicional, es necesario respetar la perspectiva ecológica y el equipo debe ser visto como un ecosistema por su relación intrínseca con el entrono. En este sentido, resulta imprescindible que el equipo adapte su estructura y función a los constreñimientos tácticos del partido de competición.

Las marcadas diferencias en el rendimiento que pueden mostrar futbolistas del máximo nivel cuando actúan con su club o con su selección nacional, transcurriendo apenas unos días entre partidos, suele ser un motivo de frecuente debate para los aficionados y periodistas. Durante buena parte de su carrera, Messi ha sido uno de los jugadores más juzgados en este sentido al comparar su rendimiento en el FC Barcelona con el de la selección argentina. ¿Cómo puede ser que las prestaciones de un futbolista fuesen tan diferente al cambiar de compañeros y entorno? Las ciencias de la complejidad proporcionan nuevas herramientas para investigar y comprender el diferente rol y comportamiento de los jugadores cuando forman partes de diferentes ecosistemas.

Al profundizar en otras circunstancias del día a día del fútbol, podemos encontrar otras reminiscencias clásicas. Así, hay entrenadores que configuran su alineación sobre la necesidad de mantener un equilibrio, apoyándose en parámetros cuantitativos. Por ello, si el técnico va a colocar dos jugadores en la delantera opta por un jugador alto (1,90 m) y otro pequeño (1,70 m) para así equilibrar la balanza. La estrategia se repite en otras posiciones: un lateral ofensivo y otro más preocupado por defender, un extremo rápido en una banda y otro más resistente en la contraria, un mediocentro con capacidad para jugar en largo y otro preciso en el pase corto o un central con poderío en el juego aéreo y otro rápido que le pueda cubrir la espalda. Pero, curiosamente, son los valores extremos y no los promedios los que son distintivos en el fútbol de alto nivel, lo que nos impide sustentar nuestras hipótesis en las tradicionales curvas de normalidad estadística. Esto es por lo que Valdano (citado en Suárez, 2012) advierte que "el fútbol está lleno de frases hechas que nadie sabe si son o no ciertas. Parece obligatorio colocar a un mediocentro que corra, por torpe que sea, porque lo importante es que robe y que sude".

El día que el FC Barcelona y la selección española rompieron con esta ficticia sensación de control ganaron todos los grandes trofeos a nivel de clubs y equipos nacionales, respectivamente. ¿Cómo pudieron lograrlo si no respetaron las reglas universales para construir los equipos? Una de las explicaciones podría ser que al alejarse de la línea de pensamiento tradicional se transformaron en equipos impredecibles para los oponentes. Esto representa una característica sobresaliente para optimizar el rendimiento en los deportes de equipo, ya que no es esencial contar con jugadores ideales de cara a producir un estilo de juego con cualidades excepcionales (Balagué y Torrents, 2011). El técnico argentino Marcelo Bielsa es un claro ejemplo de un entrenador capaz de generar equipos exitosos que priorizan el juego colectivo sobre las individualidades.

Además de los futbolistas y los equipos, el juego también puede ser considerado como un sistema (Greháigne, 2001) ya que diferentes elementos interactúan con el objetivo de salir victoriosos en la confrontación. Probablemente, el primer entrenador en aplicar una aproximación sistémica al entrenamiento del fútbol fue el ucraniano Valeriy Lobanovskyi. Lobanovskyi estudió ingeniería en la extinta USSR, donde tomó contacto con la cibernética. Años más tarde conoció al estadista Anatoly Zelentsov y sentó las bases para el éxito del Dynamo de Kiev durante los años setenta y ochenta. Sus pensamientos, procedimientos y principios científicos fueron incluidos en el libro "La base metodológica del desarrollo de modelos de entrenamiento". Wilson (2013) explica cómo Lobanovskyi interpretaba el fútbol:

> *El fútbol se convirtió eventualmente para él en un sistema de veintidós elementos -dos subsistemas de once elementos- moviéndose dentro de un área definida (el terreno de juego) y sujetos a una serie de restricciones (las reglas de juego). Si los dos subsistemas eran iguales, el resultado sería un empate. Si uno de ellos fuese más fuerte, ganaría (…) El aspecto que Lobanovskyi encontró verdaderamente fascinante era que los subsistemas estaban sujetos a una peculiaridad: la eficiencia del subsistema era mayor que la suma de las eficiencias de las partes que lo componían (…) El fútbol, concluyó, era menos sobre los individuos que sobre las coaliciones y las conexiones entre ellos.*

Cuando dos equipos empiezan un partido de fútbol hay un estado inicial de equilibrio. Si ambos equipos tienen sólo orden, no habrá espacio para la creatividad y, por ello, el sistema -partido- continuará en equilibrio (empate). Para desequilibrar la situación un equipo tiene que aumentar su intercambio energético con el entorno para producir situaciones inesperadas para el rival. Consecuentemente, un partido representa un continuo diálogo entre los equipos, alternándose fases de orden y desorden con el objetivo de romper la estabilidad del oponente.

Esto infiere que un partido de fútbol se construye con eventos impredecibles e indemostrables, lo que hace imposible volver atrás y probar hipótesis alternativas. Por ello, nunca hay situaciones idénticas y cada vez que un jugador toma una decisión o un entrenador elige una alineación, podrá acertar o equivocarse, pero nunca existirá otra posibilidad de testar distintas soluciones en un contexto idéntico. El juego es un bucle continuo donde cada situación influye en la siguiente, creando una serie de eventos sin una secuencia lógica (Oliveira *et al.*, 2007). Existe una constante coadaptación de todos los sistemas dinámicos a las exigencias del juego, ya que un jugador o equipo influye sobre el otro y viceversa. Además, todo lo que un jugador o equipo hace afecta al entorno (árbitros, público, resultado, etc.) al mismo tiempo que el entorno tiene una influencia recíproca en los jugadores y equipos. No es lo mismo jugar en casa o fuera, un partido amistoso o la final del Mundial.

Las situaciones de juego real ofrecen también cuestiones interesantes. ¿Por qué algunos equipos rinden mejor cuando uno de sus jugadores es expulsado?, ¿cómo puede ser posible que algunos equipos jueguen mejor con 10 que con 11 jugadores? Esto representa otro ejemplo práctico de una autoorganización optimizada. Cuando el sistema -equipo- pierde uno de sus miembros, desarrolla la capacidad de crear una nueva organización para adaptarse a la situación. Esta es una de las características principales de los sistemas dinámicos que las máquinas no pueden tener. También se podría debatir sobre el caso de los jugadores que, cuando forman parte de la alineación hacen que el funcionamiento y rendimiento del equipo mejore a pesar de que ellos, a nivel individual, no salen favorecidos en ninguna estadística postpartido ni son entrevistados por la televisión. Este perfil de jugadores mejora la armonía del equipo, puesto que optimizan las redes de comunicación y organización al producir conductas empáticas que ayudan a la generación de sinergias entre compañeros. Esto es muy importante y debería ser una aspecto de especial consideración por los analistas del juego, ya que muchos de los datos registrados durante el partido sólo reflejan eventos y parámetros descriptivos que no contribuyen a generar una correcta comprensión de la dinámica del juego ni a dar valor a la verdadera aportación que un futbolista tiene en un equipo.

La Figura I.3 muestra una simple ilustración de la noción sistémica explicada en los párrafos anteriores. Cada jugador, de manera aislada, es un sistema complejo. Cuando los jugadores entrenan juntos y comparten una identidad y cultura táctica, acaban formando un sistema mayor: el equipo. Cuando este equipo se enfrenta a un oponente se genera un sistema complejo aún más grande, el partido, que puede estar sujeto a múltiples fuentes de stress (árbitro, público, medios de comunicación, etc.). Cada uno de estos sistemas forma un todo con respecto a sus partes mientras que, al mismo tiempo, forman parte de un todo superior. Por ello, se convierten en un fractal ya que las estructuras se repiten a escalas interrelacionadas (Davids, en Balagué y Torrents, 2011; Pol, 2011). Esta fractalidad genera un vínculo permanente entre los diferentes sistemas lo que implica que "para conocer al equipo como una totalidad debemos comprender las relaciones de sus jugadores, del mismo modo que para conocer estas relaciones (como partes del juego) tenemos que comprender al equipo" (Silva, 2008, citado en Couto, 2018).

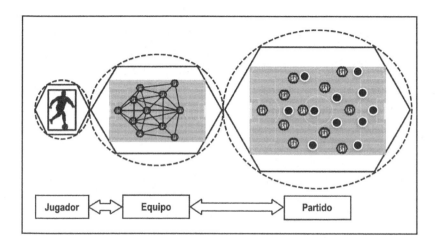

Figura I.3 El futbolista, el equipo y el juego (partido) como sistemas complejos. Existe una relación fractal entre ellos: cada sistema está contenido en el siguiente nivel de complejidad organizada.

Cuando saltamos de un nivel a otro las propiedades del sistema cambian, ya que cada nivel tiene sus propias leyes y su organización de la complejidad (Capra, 1996). Ambos extremos de la Figura I.3 podrían ser expandidos. Por un lado, los sistemas, estructuras y capacidades de cada jugador podrían ser estudiados en profundidad. En el lado contrario, se podría realizar un análisis detallado sobre lo que sucede cuando se agrupan diferentes partidos, como sucede en una competición de liga o de copa.

De manera complementaria, cada sistema puede examinarse desde dos perspectivas diferentes que están íntimamente relacionadas: estructura y función (Durand, 1979, en Silva, 2008; Martín Acero y Lago, 2005a). La estructura representa el lado rígido y estático del sistema (Morin, 1982, en Silva, 2008) mientras que la función expresa la relación entre los elementos. Cuando se estudia a un equipo, la estructura se caracteriza por el sistema de juego. En cualquier caso, más importante que esta formación adoptada por los jugadores es la manera en que los elementos del sistema -futbolistas- interactúan entre sí cuando la pelota está en juego. Por ello, estas dinámicas de juego representan la organización funcional de la estructura (Silva, 2008). La elección de un sistema de juego debería facilitar el desarrollo de dinámicas de juego favorables entre los futbolistas del equipo.

Con una perspectiva más amplia, Garganta (1997) también propone el uso de un prisma sistémico para el análisis del juego. El análisis estructural del fútbol quedaría representado por sus elementos característicos: el jugador, su oponente directo, su compañero, los compañeros del oponente directo, el espacio, el tiempo, la pelota y las reglas de juego (Martín Acero y Lago, 2005a), mientras que el análisis funcional intentaría aportar luz sobre la confrontación entre los dos equipos. Capra (1996) cree que la función es un concepto mecanístico mientras que la idea de organización representa mejor el pensamiento sistémico. Por ello, es esencial definir y describir los distintos niveles de organización que el juego del fútbol pudiera tener como sistema (Greháigne, 2001).

Tal y como se explicó previamente, podemos identificar diferentes niveles de subsistemas (Martín Acero y Lago, 2005a). El nivel más pequeño, microsistemas, vendría representado por las actividades que un futbolista realiza con el balón y sin el balón (ataque y defensa, respectivamente) en situaciones de 1 contra 1, por lo que puede ser definido como un episodio de duelo elemental. Cuando más de un jugador de cada equipo se agrupa para desarrollar estrategias de cooperación, con o sin la pelota, hablaríamos de mesosistemas. Estos episodios de duelo parcial reflejan confrontaciones entre grupos que pueden abarcar situaciones de igualdad en forma de diadas (2 contra 2), triadas (3 contra 3) o interviniendo mayor número de futbolistas, aunque también pueden verse en enfrentamientos grupales con superioridad (4 contra 5) o inferioridad (6 contra 4) numérica. Finalmente, los macrosistemas equipo o redes complejas se describen cuando la totalidad de los jugadores se ven involucrados, como sucede durante la competición (11 contra 11) que se categoriza como episodio de conflicto dual.

Martín Acero y Lago (2005a) utilizan estos tres niveles de organización para clarificar las diferencias ideológicas entre las perspectivas reduccionista y holística.

Los reduccionistas se centran más en los niveles más bajos de la escala, intentando explicar el comportamiento del sistema desde las confrontaciones elementales individuales. Es decir, es más importante tener buenos jugadores en un equipo que las relaciones de interacción potenciadas por el entrenador. En el lado opuesto, la aproximación holística prioriza el lado superior de la escala, el nivel macro. En este sentido, la coordinación interpersonal entre los futbolistas dentro del sistema equipo es más importante que la capacidad de cada jugador por separado.

En cualquier caso, es crucial para los entrenadores optimizar ambos sistemas complejos: el futbolista y el equipo. Durante los últimos años ha aumentado la atención prestada a examinar las sincronías que emergen tanto a nivel de las escalas individuales como colectivas (Duarte *et al.*, 2013). El desarrollo de variables de posicionamiento compuestas como los centros geométricos y los rangos de los equipos (Lames *et al.*, 2010), las medidas de los índices de estrechamiento (Yue *et al.*, 2008), así como la aplicación de herramientas y algoritmos matemáticos complejos (Duarte *et al.*, 2012; Frank y Richardson, 2010; Richardson *et al.*, 2012) proporcionan una nueva visión para estudiar las sinergias entre los jugadores durante el juego real.

Podemos cuestionar multitud de situaciones que ocurren diariamente en el ámbito del fútbol que son solventadas con una estrategia de pensamiento clásico pero, posiblemente, se beneficiarían de una razonamiento complejo. Comenzando desde un punto de vista individual -futbolista-, muchas personas fragmentan los componentes de entrenamiento bajo la creencia de que la preparación física es el indicador crítico del rendimiento. Esto ha llevado a la aceptación de variados silogismos universales en el dominio del fútbol en un intento por predecir el rendimiento físico durante la competición. Como consecuencia de esto, el resultado en determinados tests físicos se ha relacionado con la actividad física durante el juego (Krustrup *et al.*, 2003, 2006) y, por ello, si un futbolista mejora su condición física, obtendría un mejor resultado en los tests y, como consecuencia, podría correr más intensamente en los minutos finales de los partidos. Esto hace que, debido a la necesidad de certezas que algunos entrenadores reclaman, muchos equipos apliquen tests físicos con la intención de predecir si un jugador (o equipo) será capaz de correr más en los instantes finales del partido, olvidándose de todos los demás constreñimientos que pueden afectar el comportamiento de los sistemas complejos.

Yendo más allá de la presentación estadísticas de los datos de los test físicos, cuando el rendimiento en dichas pruebas se correlaciona con los minutos jugados por cada jugador al finalizar la temporada, los resultados suelen ser contradictorios. Más aún, si un preparador físico clasifica a todos los futbolistas de su equipo en función de los valores condicionales (clasificación objetiva según los resultados en los tests) y el entrenador principal lo hace apoyándose en su rendimiento dentro del juego (clasificación subjetiva basada en lo que el jugador aporta inmerso en el contexto del fútbol), encontraríamos posiblemente una baja correlación entre ambas variables. ¿Cómo puede suceder esto en el fútbol moderno?, ¿por qué jugadores que no logran resultados destacados en los tests físicos son más importantes para el rendimiento del equipo que aquéllos que sobresalen saltando, levantando pesas o corriendo sin el balón?

Similarmente, los registros en pruebas físicas y técnicas se han utilizado como criterio para seleccionar jugadores para el fútbol base o academias de los clubs. Los tests físicos se podrían utilizar como una herramienta auxiliar para controlar la maduración o el crecimiento, pero nunca como criterio único para decidir si un futbolista debería o no progresar a un nivel superior de competición. Es muy común ver equipos de la base de clubs o selecciones nacionales (especialmente con jugadores adolescentes en edades entre los 14 y 17 años) formados por futbolistas excelentemente desarrollados en el plano físico, aunque cuando estos jugadores tienen 22-23 años y deberían estar jugando a nivel profesional, ya no es posible encontrarles en ningún equipo. Esto es debido a que muchos equipos anteponen el rendimiento a corto plazo de jugadores físicamente maduros sobre el desarrollo a largo plazo de futbolistas talentosos que entienden el juego. Los clubs y asociaciones nacionales deberían preguntarse dónde están invirtiendo su dinero, ya que están pagando salarios elevados y dando becas de escolaridad a adolescentes que no tienen verdadero talento futbolístico. Estos clubs tienen que pagar años más tarde traspasos para recuperar a jugadores que habían sido descartados de sus escuelas porque eran pequeños, débiles o físicamente inmaduros en comparación a los que habían seleccionado.

Las aproximaciones reduccionistas y holísticas también se pueden examinar al estudiar los contenidos de entrenamiento, al verificar si éstos se centran más en el jugador (acción) o en el equipo (interacción). Como se indicó anteriormente, durante los últimos años ha habido una exaltación del rol del componente físico en el rendimiento y se ha considerado que aquellos equipos más en forma eran los que mostraban mayor distancia recorrida en las estadísticas postpartido. Esto ha llevado a que muchos entrenadores hayan beneficiado el culto al músculo en detrimento de los procesos de toma de decisiones. Sin embargo, en la gran mayoría de las situaciones no se trata de correr más sino de saber cuándo hay que correr. Un equipo con una buena organización hace que sus futbolistas parezcan más rápidos, ya que siempre llegarán al balón en el momento adecuado, transmitiendo la falsa sensación de estar en mejor forma física. En este sentido, el elemento clave no es desarrollar la mayor condición física como sea posible, sino optimizar la inteligencia táctica de los jugadores, lo que les dotará con la posibilidad de sacar el máximo partido a sus capacidades, aprendiendo a interactuar con los compañeros y adversarios y, en resumen, comprender el juego.

No se debería extrapolar de lo anterior que la condición física no es importante para el fútbol. Es obvio que disponer de un mayor consumo máximo de Oxígeno, ser más rápido o saltar más alto es mejor que lo opuesto. La cuestión es cómo deben ser mejoradas estas variables o, más específicamente, ¿es realmente importante mejorar estos parámetros de manera descontextualizada?, puesto que, ¿no sería más adecuado favorecer su desarrollo de manera simultánea a la comprensión del juego?

Como trabajamos con sistemas abiertos y dinámicos, nunca tendremos evidencias completas sobre la transferencia real que las actividades realizadas ajenas al juego tendrán sobre las situaciones específicas del fútbol. ¿Es efectivo para un defensor central hacer cuatro series de seis repeticiones de sentadillas para mejorar su remate de cabeza? De nuevo, el silogismo de razonamiento es claro: el remate de cabeza depende de la capacidad de salto; el salto (fuerza explosiva) pueden mejorarse mediante la sentadilla, con lo cual si un jugador mejora su ratio de producción de fuerza automáticamente mejorará su remate de cabeza. Pero, ¿funcionan así de sencillas las cosas en la naturaleza? o ¿estamos usando este razonamiento simplista para estar más cómodos con lo que hacemos en nuestros entrenamientos? Si sólo disponemos de 90 minutos al día para trabajar en el campo con los futbolistas, ¿será más productivo para los jugadores estar 45 minutos en el gimnasio levantando pesas o centrarse en la realización de tareas tácticas específicas? Es de sentido común que 45 minutos de trabajo de fuerza es mejor que no hacer nada, pero la cuestión esencial es si este tipo de entrenamiento debería ser realizado durante la sesión colectiva del equipo. Muchos preparadores físicos tendrían más respeto de los futbolistas y de los entrenadores (la mayoría de ellos, antiguos futbolistas) si dedicasen más tiempo a comprender el juego en lugar de emplearlo en colocar todo tipo de aparatos sobre el terreno de juego. En cierto sentido, sería similar a la natación; nadie diseñaría un programa para nadadores basado en actividades fuera del agua. La adaptación específica es clave para alcanzar el alto rendimiento en todos los deportes.

Pep Guardiola refuerza esta idea previa al explicar que todos los ejercicios realizados durante su período como entrenador del FC Barcelona incluían la herramienta más importante: el balón. Por ello, los futbolistas deben familiarizarse con el juego, desarrollando relaciones de cooperación con los compañeros para alcanzar objetivos comunes y relaciones de competición con los adversarios y, la única manera de lograr este objetivo, es entrenando en Especificidad (Oliveira *et al.*, 2007). En última instancia, es el entrenador quien decide el tipo de jugador que quiere en su equipo. Si ser inteligente es más importante que correr más, las tareas de entrenamiento deberían estimular las habilidades de toma de decisión autónoma en los futbolistas.

Los jugadores que se han visto poco expuestos a situaciones específicas de toma de decisión o que han sido entrenados siguiendo progresiones lineales en entornos cerrados tienen problemas cuando afrontan desafíos lejos del control remoto del entrenador. Estos futbolistas pueden incluso bloquearse mentalmente (parálisis por análisis) cuando afrontan situaciones desconocidas, al no saber cuál es el siguiente paso a seguir. En el fútbol de élite hay muchas ocasiones en las que el entrenador es incapaz de contactar rápidamente con el jugador (interferencias por el ruido del público o por la distancia entre el banquillo y el futbolista) y el jugador debe tomar las decisiones por su cuenta. La única manera de facilitar estos procesos es mediante el diseño de tareas de entrenamiento específicas y significativas, para preparar al jugador para que esté continuamente pensando durante el partido, identificando situaciones de juego y anticipando lo que puede llegar a suceder. Al hacer esto, el jugador está preparado y es capaz de solventar los problemas tácticos que pudieran suceder durante los partidos, reaccionando de manera inmediata para poder sacar ventaja sobre sus adversarios. Por ello, el entrenamiento no debe estar basado en la repetición de ejercicios ya que el proceso de aprendizaje requiere una intención en la acción para alcanzar un propósito verdaderamente educativo (Oliveira *et al.*, 2007). Esto muestra una diferencia crítica en el marco conceptual que fundamenta el presente libro, la diferencia entre entrenar el músculo frente a entrenar el cerebro.

Por todo lo anterior, es importante resaltar la importancia del paradigma de complejidad para comprender la dirección que la metodología del rendimiento en el fútbol debería tomar en el futuro. La adopción de una aproximación no convencional es esencial, tal y como Seirul·lo (2014, citado en Couto, 2019c) resume de forma certera:

> *El secreto del juego, del fútbol, que es el juego de los juegos, por su complejidad, ¡no se sabe dónde está! Está en el jugador, está en el equipo, está en cómo concibes el espacio, cómo concibes el tiempo de juego, cómo entiendes que el entrenamiento puede optimizar a los jugadores. Todas esas son cosas que tienen que resolverse desde la complejidad. No pueden resolverse desde el simplismo de causa-efecto, ya que durante cualquier momento del partido aparecen cosas que son increíbles, ¿no? Nacen porque el fútbol es el juego más complejo que existe de todos los deportes de equipo y porque la incertidumbre, incluso los límites de situaciones caóticas, pueden aparecer en cualquier momento. Como emergencias inesperadas, ¿no? Entonces, comprendiendo el juego y comprendiendo el ser humano desde la complejidad, estaremos más cerca de lo que es el fútbol, ¿no? Y de ahí poder mejorarlo...*

Martín Acero y Lago (2005b), apoyándose en Prigogine (1993), afirman que el camino del entrenamiento en los deportes de equipo debería construirse entre dos tendencias distintas que llevan al fracaso si se sigue actuando de manera independiente. Por un lado, las teorías basadas en la certidumbre son características de la concepción determinista de los deportes de equipo, pero están alejadas de la práctica. Por el otro lado, las teorías empíricas se basan en situaciones de campo, aunque carecen de la reflexión oportuna ya que se fundamentan en la inmediatez del momento. La combinación de teoría y práctica, reflexión y acción, debería ayudar a crear una mejor aproximación al entrenamiento en el fútbol. Por ello, el currículum de los entrenadores modernos debe ser multidisciplinar, integrando el arte y la ciencia de la metodología del entrenamiento y las habilidades para la gestión de las personas y sus emociones (Mallo, 2013, 2014).

La perspectiva sistémica de entrenamiento previene el aislamiento de las partes para examinar lo que sucede dentro de ellas y el tratamiento independiente de los componentes (físico, técnico, táctico y psicológico) del rendimiento. Además, los momentos del juego (ataque organizado, defensa organizada, transición ataque-defensa y transición defensa-ataque) forman parte de un continuo y no pueden ser divididos en partes separadas, como si la defensa y el ataque fuesen dos entidades diferentes. Aunque en muchos textos los términos momentos y fases del juego se utilizan de manera intercambiable, Oliveira (2004) considera que el término fases refleja un orden secuencial de los eventos, mientras que los momentos del jugar se pueden manifestar de manera aleatoria durante un partido. Todos los momentos del juego se hayan interconectados y mientras un equipo tiene la posesión del balón (ataque) algunos de sus jugadores están ya están pensando en el momento defensivo, encimando al adversario por si el equipo perdiese la posesión. Es por esta razón que algunos entrenadores hablan de comportamientos de los jugadores con o sin la posesión del balón en lugar de momentos ofensivos y defensivos, respectivamente. El ritmo de juego colectivo e individual se manifiesta cuando el equipo es capaz de vincular secuencias consecutivas (ataque, defensa, transiciones) sin que parezcan episodios aislados. Lo mismo sucede a nivel individual; un jugador muestra un elevado ritmo de juego cuando es capaz de concatenar, en el contexto específico de juego, diferentes acciones e interacciones en el beneficio del rendimiento del equipo.

Para concluir este capítulo, es importante clarificar que el entrenamiento integral o integrado (García Manso, 1999; Tschiene, 2002) no es lo mismo que el entrenamiento basado en los principios de la complejidad. Las teorías de entrenamiento integral tienen mayores propiedades biológicas, analíticas y estáticas, mientras que el entrenamiento complejo muestra una concepción más amplia y holística del proceso, con propiedades dinámicas y emergentes y mostrando interés en cómo los sistemas interactúan entre sí (Balagué y Torrents, 2011; Solé, 2002; Torrents, 2005). Las tareas de entrenamiento puede ser un fractal del juego si incluyen la dinámica colectiva característica. Si sólo contienen partes aisladas, no podrán ser consideradas como fractales ya que no respetarían la Especificidad del juego (Oliveira *et al.*, 2007; Silva, 2008).

Durante los siguientes capítulos se presentarán dos aplicaciones diferentes del pensamiento complejo en el fútbol. Ambas comparten una perspectiva holística de la naturaleza aunque se centran en diferentes sistemas.: la visión del deportista como unidad funcional de Francisco Seirul·lo y la concepción del juego basada en una integridad indisociable de Vítor Frade. De manera conjunta, Seirul·lo y Frade proporcionan una aproximación innovadora para examinar el entrenamiento en el fútbol, confrontando muchos de los principios tradicionales que han sido aceptados universalmente bajo el axioma clásico de "siempre se ha hecho así", o la ley ancestral del instrumento que dice, "si sólo tienes un martillo, todos los problemas te parecerán un clavo" (Maslow, 1966). Por ello, es tiempo de sobrepasar la visión convencional del entrenamiento del fútbol y abrir nuevas avenidas de pensamiento; si el fútbol es un fenómeno complejo, debe ser estudiado con herramientas complejas.

PARTE II

EL ENTRENAMIENTO ESTRUCTURADO DE SEIRUL·LO

"La persona human nunca se debe plantear a sí misma,
en el rendimiento deportivo, un límite. Un modelo es poner un límite"

Francisco Seirul·lo

II.1 EL ORÍGEN: FRANCISCO SEIRUL·LO

Cualquier disertación sobre la metodología de entrenamiento del FC Barcelona no puede obviar una figura: Francisco "Paco" Seirul·lo (Salamanca, España, 1945). A pesar de que el reconocimiento internacional del FC Barcelona se identifica, como su propio nombre sugiere, con el deporte del fútbol, es importante destacar la filosofía polideportiva del club, que cuenta con cinco secciones profesionales de deportes de equipo: fútbol, baloncesto, balonmano, fútbol sala y hockey sobre patines. Además de estas disciplinas de carácter profesional, existen otra serie de deportes en los que los deportistas compiten de manera más amateur, como el hockey sobre hierba, hockey sobre hielo, rugby, voleibol, baloncesto en silla de ruedas, patinaje artístico o atletismo, entre otros.

Fue, precisamente, una de estas disciplinas -el atletismo- la vía de entrada de Seirul·lo en el deporte profesional. Después de concluir los estudios de Educación Física en 1972, Seirul·lo fue profesor de atletismo en el Instituto Nacional de Educación Física (INEF) de Madrid entre 1972 y 1974, en combinación con diversas tareas ligadas a la enseñanza en otras facultadas y entidades deportivas. Sin lugar a dudas, la carrera docente de Seirul·lo está vinculada al INEF de Barcelona desde su fundación en 1976. Durante casi 40 años impartió clases de Kinesiología, Aprendizaje Motor, Teoría y Práctica del Entrenamiento o Fundamentos de la Educación Física en los cursos de la licenciatura, máster o doctorado que se desarrollaron en dicha facultad (Martín Acero, 2009). Esta amplia experiencia teórica le llevó a la publicación de numerosos artículos abarcando un amplio rango de temas deportivos, lo que ha dado lugar a que muchos de ellos hayan servido para la elaboración de este capítulo del libro (como por ejemplo, Seirul·lo, 1979, 1986, 1987b,c, 2003, 2009).

Una de las grandes contribuciones para diseminar la particular filosofía de entrenamiento de Seirul·lo fue la creación, en el año 2003, del Máster Profesional en Alto Rendimiento en Deportes Colectivos. Este curso agrupó en Barcelona a un equipo de profesores (Francisco Seirul·lo, Xesco Espar, Marcel·lí Massafret, Gerard Moras, Josep María Padullés, Julio Tous, Javier Jorge, Richi Serrés, Joan Solé o Dani Romero, entre otros) que introdujeron una revolución conceptual en el entrenamiento de los deportes de equipo. Durante más de 15 años, cientos de alumnos han divulgado las lecciones aprendidas de estos mentores y las han aplicado en diferentes campos profesionales. El legado ideológico de esta aproximación alternativa ha sido sabiamente recogido en la obra "El entrenamiento en los deportes de equipo", editado por Seirul·lo en 2017. Este libro es de obligada lectura para todos aquellos que quieran conocer de primera mano la fundamentación del Entrenamiento Estructurado.

De manera complementaria, durante más de cuatro décadas Seirul·lo ha coleccionado experiencias prácticas en una variedad de deportes como el atletismo, voleibol, judo, tenis, motociclismo, balonmano y fútbol, preparando a deportistas y equipos para los Juegos Olímpicos de Munich '72, Montreal '76, Los Ángeles '84 y Barcelona '92, además de para nueve campeonatos mundiales (Salebe, 2011). Su primera labor profesional en el FC Barcelona tuvo lugar en la sección de atletismo, entre los años 1976 y 1984. En el año 1982 se convirtió en el preparador físico del primer equipo de balonmano del club, manteniendo esta posición hasta 1996 y, unos años más tarde, se unió a la selección española de balonmano que obtuvo el Campeonato del Mundo del 2013. Su relación con la sección de fútbol del FC Barcelona comenzó en 1994 y, muchos años después, continúa siendo considerado como la principal referencia en cuanto a metodología de entrenamiento (Martín Acero, 2009), siendo aún el responsable máximo de dicho departamento en la temporada 2021-22. Durante el período en el primer equipo de fútbol colaboró con entrenadores como Johan Cruyff, Sir Bobby Robson, Carles Rexach, Louis van Gaal, Lorenzo Serra Ferrer, Radomir Antic, Frank Rijkaard, Pep Guardiola, Tito Vilanova y Gerardo Martino, ganando nueve Campeonatos de Liga, cuatro Copas del Rey y ocho Supercopas a nivel nacional y tres Ligas de Campeones, una Copa de la UEFA, tres Supercopas europeas y dos Mundiales de clubs a escala internacional. Como reseña adicional, en Mayo de 2006 se convirtió en el único técnico en ganar las Ligas de Campeones de fútbol y balonmano en la misma temporada.

Durante la transición en su vida profesional de los deportes individuales a los colectivos, Seirul·lo observó múltiples contradicciones e inconsistencias que le llevaron a abrir nuevas fronteras para el entrenamiento y la investigación. Ya en el año 1976, Seirul·lo publicó un artículo en el que predecía la dirección que las ciencias del entrenamiento deberían tomar en el futuro e introdujo términos como sinergia, sistemas u optimización del tiempo de entrenamiento, que eran incipientes en aquel momento (Seirul·lo, 1976). Junto a sus colegas anteriormente mencionados, ha reflexionado en esta dirección a lo largo de las últimas décadas en la búsqueda de una metodología específica para los deportes de equipo, diferencial de aquella aplicada en los deportes individuales.

Desde un punto de vista práctico, Seirul·lo se sorprendió al observar en sus experiencias iniciales que en los deportes de equipo se replicasen acciones copiadas del atletismo:

> *Salidas desde abajo, "en sus marcas, listos" y corrían cinco o seis esprints de 25 metros. Nunca he visto en deportes de equipo a un jugador detenido, esperando un estímulo acústico para correr a velocidad en una línea sin que nadie le moleste (Seirul·lo, citado en Palomo, 2012).*

Muchos entrenadores pensaban que como el fútbol incluía carreras, saltos y golpeos/lanzamientos, el atletismo debería ser la base de la fundamentación del entrenamiento para los jugadores (Seirul·lo, 1999). La concepción del futbolista equivalente a un atleta se ha extendido globalmente, a pesar de la interpretación reduccionista que ello supone, como ya Dante Panzeri había anticipado en 1967. Seirul·lo se ha mostrado también crítico con esta idea en varias ocasiones, abogando por un cambio profundo en la percepción y el pensamiento.

> *Antes, por error, se pensaba que primero había que fabricar un atleta y luego que jugase a lo que sea. Si se quería entrenar la resistencia, se entrenaba por igual en el monte, en el mar… donde fuese. Y luego adaptaban esa resistencia a su deporte. Y no es así. Así pierdes tiempo y energía, pues cada deporte requiere su tratamiento específico. (Seirul·lo, citado en Cappa, 2007)*

> *Antes se hablaba que primero hay que hacer atletas y después futbolistas. He estado mucho tiempo entrenando atletas, velocistas, lanzadores. Si haces un atleta verdaderamente será un atleta. El niño desde que tiene seis años tiene que ser futbolista y tiene que aprender la motricidad específica del fútbol, las relaciones interpersonales, la emoción del juego del fútbol, las tradiciones y la sabiduría del juego del fútbol. Hacer primero un atleta y luego cambiarlo a un futbolista es muy difícil. No llegará a sentirlo tan suyo como el caso primero. Desde el principio debe ser jugador de fútbol. (Seirul·lo, citado en Palomo, 2012)*

Esta aproximación pedagógica centrada en el fútbol también era compartida por Laureano Ruiz (citado en Perarnau, 2011), una de las figuras más relevantes para el establecimiento del fútbol base en el FC Barcelona, quien afirmaba:

Lo que hay que hacer es entrenar bien y con balón en los primeros años de formación. El fútbol es muy parecido a los idiomas. En los idiomas trabajas la coordinación fonética, que es la que nos hace hablar. En el fútbol trabajas la coordinación motora. En los idiomas no hay dudas: cualquier niño pequeño aprende cualquier idioma en pocos meses incluso sin saber su gramática. En cambio, su padre no lo consigue con facilidad por más gramática que sepa. Pues en el fútbol ocurre igual. A los niños hay que enseñarles el idioma del juego desde muy pequeños. Enseñarles a entender el juego, que es lo más importante.

La concepción cuantificable del futbolista es un legado del pensamiento clásico donde la enseñanza -centrada en la mente- se basaba en las teorías conductistas y el entrenamiento - en el cuerpo- se enfocaba en aquello que podía ser medido, proporcionado un modelo atomizado y multidisciplinar (Seirul·lo, 2002). Esta perspectiva Cartesiana, constructivista y mecanicista era un rasgo característico de los deportes individuales que fue extrapolado al fútbol, instaurando los fenómenos bioenergéticos y biomecánicos como ejes principales del rendimiento (Seirul·lo, 2000). Por ello, la conducta observada en el jugador era la matriz del proceso, evaluando lo que el jugador hacía durante la competición y lo que era capaz de hacer al ser testado (Seirul·lo, 2000). Para incrementar su capacidad de juego se diseñaban ejercicios cerrados o "progresiones pedagógicas o de ejercicios" (Seirul·lo, 1999), con el objetivo de llevar al jugador desde un punto inicial conocido a otro final ya predeterminado. Así las cosas, los contenidos y sistemas de entrenamiento se diseñaban para cada capacidad crítica para el juego y el rendimiento se evaluaba mediante test físicos, que servían como retroalimentación del proceso. De esta manera el deporte se interpretaba desde un punto de vista rígido, priorizando la visión del ser humano como una máquina, como la siguiente cita de Seirul·lo (2000) demuestra:

A mí me hace mucha gracia el que aparezcan datos sobre VO_2max del futbolista. La eficacia de los grandes laboratorios de observación de esos fenómenos físicos es de ±2-3%, los datos que nos dan cuando nos realizan un análisis de sangre es de ±2-3% de alta fiabilidad y se dan como válidos. Lleg-

amos nosotros y decimos no, si tu llegas un 2% tarde donde está el balón, un
2% menos en 3 metros es una barbaridad y lo damos como dato científico
porque existe una ciencia, la analítica, que establece un código que el 2-3% es
de alta fiabilidad y nosotros decimos "yo estoy en los límites de fiabilidad
científica". De nada nos vale señores, porque estamos utilizando metodologías
de observación lineales frente a metodologías y fenómenos no lineales y no
nos vale. Tenemos que dar soporte de otras ciencias a la estructura científica
de los deportes de equipo, tenemos que observarlo desde otra perspectiva, y
esa nueva perspectiva está aquí propuesta, interesa lo que suceda en cada de-
portista después de crear las condiciones del entorno donde puede realizarse,
lo importante es lo que sucede dentro del jugador, no las modificaciones ex-
ternas que observamos.

Seirul·lo (2005a) refuerza las ideas previas al argumentar que "no podemos utilizar instrumentos que describan la linealidad o utilizar la observación de fenómenos instaurados en la linealidad para abordar la investigación de problemas y
sistemas no lineales" y justifica la necesidad de un cambio en la concepción del
entrenamiento. Por ello, el empleo de progresiones lógicas y la búsqueda de la
maximización de las capacidades bajo la premisa de "más de lo bueno es siempre
mejor" (Seirul·lo, 2005b) ha dado lugar a una apertura epistemológica en la que los
principios y las leyes tradicionales de los deportes individuales ya no son válidos
para los deportes de equipo, tal y como Seirul·lo (citado en Perarnau, 2016) clarifica:

Lo que proponemos es distinto. De observar lo simple y lineal hemos de pasar
a observar lo complejo: todo tiene que ver con todo y no sucede nada que no
pueda suceder, pero las interacciones entre los jugadores son interacciones, no
acciones. Siempre se dice: "Esto es una acción del juego". No, no es una ac-
ción: es una interacción. Porque cuando yo hago una cosa sobre ti cambio
cosas tuyas y tu cambias cosas mías. (…) El concepto cuántico es el soporte
de la complejidad del juego. Hasta ahora, el fútbol nunca se ha presentado así.
Parecía que el defensor era el pasivo y el atacante era el activo porque todo se
ha guiado en el eje ataque-defensa. Pero el fútbol no vive en dicho eje, sino en
un concepto cuántico. El fútbol siempre se ha movido en una dicotomía sim-
plísima: lo bueno y lo malo, el pragmático y el romántico, etc. No se ha identi-
ficado nunca, por la alta complejidad que tiene, en qué elementos nos tenemos
que fijar para ir escudriñando la complejidad del juego. Si conseguimos ir

escudriñando esa complejidad, podremos construir un juego nuevo. O po-dremos proponer las ideas para un juego nuevo, o distinto. (…) Hay que en-tender que el fútbol no es una sucesión de jugadas, sino una sucesión de situaciones complejas. (…) En el juego tratamos de llevar la iniciativa no solo porque tengamos el balón, sino porque creamos una situación que es favorable para nosotros. A eso le llamamos "espacio de fase" y está definido por: dónde está el balón, en qué situación está, dónde están los oponentes, las distancias que hay entre el balón, los oponentes y nuestros propios jugadores, las trayec-torias que hace cada jugador, cada oponente y el balón, la orientación que tiene el juego, la organización que tiene el juego… Y todo esto constituye únicamente una situación de juego que dura una décima o dos décimas de segundo. En el momento en que el balón cambia de sitio, cambian los ju-gadores y aparece una nueva situación. Y así sucesivamente. Esto requiere muchísima complejidad y tiene la base en las teorías de la termodinámica.

Para poder resaltar las características especiales de los deportes de equipo, Sei-rul·lo (1998a) anticipó los siguientes objetivos críticos que eran necesario respetar durante el proceso de entrenamiento:

- Mejorar el rendimiento empleando un número reducido de sesiones.
- Mantener la forma deportiva de los jugadores durante todo el período de com-petición.
- Facilitar la asimilación de los contenidos de entrenamiento por la proximidad de las competiciones.
- Variar los contenidos para que el entrenamiento resulte atractivo para el ju-gador.
- Realizar un gran control de las cargas de entrenamiento.

Las condiciones de interacción complejas e intersistémicas que circunscriben los deportes colectivos, donde dos equipos participan de forma simultánea en un es-pacio común, deben ser examinadas respetando siempre las características holísti-cas, caóticas y aleatorias del juego (Seirul·lo, 1999, 2005b). De manera conjunta, todo esto crea un escenario peculiar en el que (Seirul·lo, 2005a):

El jugador ha de ser espectador altamente especializado, a la vez que especial actor, pues deberá observar las específicas señales que emiten sus compañeros, el objetivo y sus oponentes, a la vez que interpretar un complejo papel por medio de lenguajes y meta-lenguajes que sean correctamente interpretados por sus compañeros, incorrectamente por sus oponentes, estéticamente bien valorados por los espectadores, validados por el árbitro y aceptados por un entrenador como compatible con la normativa táctica propuesta.

La fundamentación del comportamiento complejo permitió a Seirul·lo (2000, 2012) establecer este nuevo paradigma para estudiar los deportes de equipo. El estructuralismo concibe al ser humano como una estructura hipercompleja, descartando la concepción pretérita de compartimentos aislados. Por ello, todos los sistemas que conforman la estructura humana están continuamente interaccionando entre ellos, creando una red de relaciones de dependencia (Seirul·lo, 1999). Esto proporciona una aproximación diferente al entrenamiento en los deportes de equipo y, aunque no se originó en el fútbol, puede ser de enorme beneficio su aplicación en el mismo (Seirul·lo, 2005b), tal y como el propio Seirul·lo (citado en Palomo, 2012) afirma:

Yo no entiendo una preparación física aislada de lo que es el elemento del fútbol. Todo lo que haga en la cancha, entendido como preparación física, tiene que ir ligado con el fútbol y con los intereses tácticos, cognitivos. La preparación física tradicional aumenta la condición física con cuestas, con pesos, con esprints, carreras en la playa, en el bosque. Para mí esa preparación física para el fútbol no vale, no existe. La condición física tiene que estar integrada en el entrenamiento total del fútbol. Hablando en términos tradicionales, la técnica, la táctica, la preparación física, la psicológica, todo tiene que ser uno. No puede ir la preparación física por un lado que no tenga nada que ver con los gestos del fútbol, los espacios del fútbol, con las relaciones interpersonales del fútbol.

Seirul·lo ha influenciado a un gran número de entrenadores de fútbol y preparadores físicos. Lorenzo Buenaventura, antiguo preparador físico del FC Barcelona y actualmente en el staff de Pep Guardiola en el Manchester City, es probablemente uno de los más relevantes practicantes de la metodología de Seirul·lo, como Perarnau (2014) muestra:

Buenaventura aprendió de Seirul·lo la metodología de los microciclos estructurados, que se basa en pequeños ciclos de entrenamiento de tres a cinco días dedicados a trabajar una capacidad física: fuerza-resistencia, fuerza elástica o fuerza explosiva, dependiendo del jugador y del momento de la temporada. Siempre con balón, el entrenamiento simula las condiciones técnico-tácticas del próximo partido. Es decir, se entrena como se juega. Y en cada minuto de entrenamiento están presentes los principios de juego que propone Guardiola.

Además de entender al deportista como la referencia del proceso y del desarrollo de una metodología de entrenamiento para los deportes de equipo, Lago (2009) cree que la tercera gran contribución de Seirul·lo al entrenamiento de los deportes de equipo ha sido el desarrollo de una unidad funcional de entrenamiento: la microestructura semanal. Debido a su importancia conceptual, todos este elementos clave serán explicados en profundidad a lo largo de las siguientes páginas.

II.2 UNA METODOLOGÍA DE ENTRENAMIENTO BASADA EN EL SER HUMANO (EL FUTBOLISTA)

El ser humano y su (auto)estructuración como eje referencial del proceso

La filosofía de entrenamiento de Seirul·lo se basa en la adquisición de conocimiento sobre el deportista a través de su proceso único de optimización (Seirul·lo, 2000). Esto sienta una diferencia crucial con otras metodologías en la que la referencia es el propio deporte, tal y como el propio Seirul·lo (2001) explica:

Si partimos de la observación del juego como modelo cometemos un grave error, pues todos los modelos de juego son coyunturales, incluso si tomamos como modelo uno ideal construido por el propio entrenador. Por lo tanto, la metodología debe ajustarse a lo que la persona es capaz de hacer, categorías que sabe procesar, dependencia o independencia del campo en sus tomas de decisiones, la predicción o acomodación a los acontecimientos y demás elementos que configuran su personalidad competitiva.

En consecuencia, la importancia reside en lo que sucede dentro del deportista en lugar de en lo que ocurre fuera de él (Seirul·lo, 1993). El desarrollo durante las últimas décadas de la neurociencia, teoría de la información, pensamiento sistémico, teoría de sistemas, teorías ecológicas, cognitivismo o estructuralismo ha proporcionado herramientas para estudiar los comportamientos complejos durante la práctica de los deportes colectivos. En este sentido, el ser humano se autoorganiza a través de las interacciones y retroacciones de diferentes sistemas que forman las siguientes estructuras (Figura II.1; Seirul·lo, 1998a, 2000, 2002, 2005b,c, 2012):

▸ **Bioenergética**: Relacionada con las vías energéticas, para la producción y utilización de los substratos para desarrollar las actividades.

▸ **Condicional**: Las capacidades físicas tradicionales y sus valores.

▸ **Coordinativa**: Ejecución del movimiento y de las habilidades específicas.

▸ **Cognitiva**: Tratamiento y procesamiento de la información del entorno de juego.

▸ **Socio-afectiva**: Relaciones interpersonales e intergrupales.

▸ **Emotivo-volitiva:** Autoidentificación contra nuestras intenciones y deseos.

▸ **Creativo-expresiva:** Para facilitar la autoproyección en nuestro entorno (terreno de juego).

▸ **Mental**: Permite agrupar el conocimiento y la autoorganización entre las estructuras.

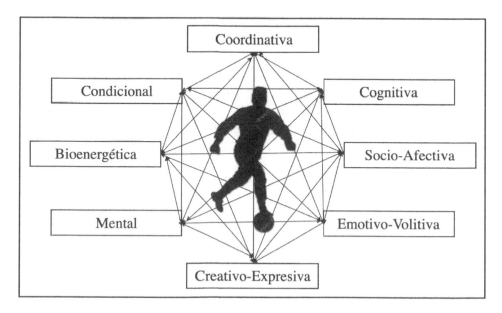

Figura II.1 Redes de interacción entre las estructuras del futbolista (basado en Seirul·lo, 1998a, 2000, 2002, 2005b,c, 2012).

Todas estas estructuras están continuamente interactuando entre ellas para generar una estructura hipercompleja que es el futbolista. Este "humano deportista" es entendido como un sistema abierto, complejo y autopoiético que intercambia energía e información con el entorno (Seirul·lo, 2017) de la siguiente manera:

> *Nosotros vemos que el jugador es un ser humano y entonces ese ser humano entendemos que es una estructura compleja, que está formada por sistemas y subsistemas que se organizan y se autoorganizan, y que en relación con el medio ambiente se llegan a optimizar a un nivel determinado en función de las condiciones del entorno. Entonces, este ser humano, pues, tiene aspectos condicionales, coordinativos, cognitivos, socio-afectivos, emotivos, etc. Todos son unos sistemas, que constituyen estructuras y que de esta manera se entienden como una estructura disipativa. Es un sistema que es capaz de modificar el entorno y modificarse a sí mismo con esa interacción continua con el medio ambiente. (Seirul·lo, 2014, citado en Couto, 2019c)*

A tenor de esta característica, no es de extrañar que en una de las más recientes publicaciones sobre el tema Pons *et al.* (2020) añadan la estructura disipativa como novena estructura que conforma al ser humano deportista. Es muy importante resaltar que todas estas relaciones siguen un patrón en red y no piramidal, como se concebía tradicionalmente. No nos desarrollamos de forma jerárquica con capas sobre unos cimientos elementales, sino que este proceso se realiza mediante conexiones, de tal modo que cualquier actividad llevada a cabo por el ser humano deportista es la expresión de relaciones intersistémicas bajo una concepción estructural del proceso, como ejemplifica Seirul·lo (2000):

> *Un señor salta, controla, luego cae y siempre va a hacer un pase hacia delante, y le enseñamos ejercicios de control con el pecho, corro controlo con el pecho y se la paso al de enfrente (5 y 5). El deportista de alto nivel dice este es un antiguo y los jugadores que empiezan tienen grandes problemas con esto, porque cada uno de los sistemas necesita un proceso de optimización y cada uno de los sistemas se dan por un proceso de autoestimulación.*

Aunque las tareas de entrenamiento pueden tener una dirección preferencial, deben implicar otras estructuras ya que cada actividad realizada por el jugador es el producto de la interacción entre distintos sistemas complejos (Seirul·lo, 2000). En uno de los primeros estudios sobre este tema Seirul·lo (1999) anticipó que, por lo menos, las estructuras condicionales, coordinativas y cognitivas deberían estar involucradas simultáneamente durante el entrenamiento de los deportes colectivos.

Las capacidades físicas representan evaluaciones sectoriales de un sistema de una estructura (Seirul·lo, 2002). Todas las diferentes capacidades físicas son optimizadas para configurar la condición física del deportista. Seirul·lo (1998a) distingue la resistencia, fuerza y velocidad como las tres capacidades condicionales básicas, de las cuales la fuerza es la más importante para los deportes de equipo (Seirul·lo, 1998b). Cada una de estas capacidades muestra una diferente manifestación en cada puesto específico y cada futbolista otorga una diferente importancia a ellas en su proceso de autoestructuración (Seirul·lo, 1990). Adicionalmente, hay otras capacidades físicas facilitadoras como son la flexibilidad y la relajación.

Todas estas capacidades físicas no tienen valor en sí mismas, ya que deben ser desarrolladas en interacción las capacidades coordinativas y cognitivas (Seirul·lo, 1998a). Las capacidades coordinativas soportan las habilidades específicas de los futbolistas y son necesarias para conducir el balón, pasar, tirar a portería, etc. (Seirul·lo, 1999). Seirul·lo (1998a) proporciona una clasificación muy detallada de las capacidades coordinativas, que pueden organizarse en un primer (capacidades de control del movimiento), segundo (capacidades de implementación del movimiento) y un tercer (capacidades de adecuación temporal) nivel. Las capacidades cognitivas se utilizan para integrar y procesar la información externa e interna, conjugando todas las demás capacidades para dar la mejor solución a cada situación específica del juego, en otras palabras, optimizando la interacción entre las estructuras, como Seirul·lo (citado en Perarnau, 2016) ilustra:

> *El fútbol está menos evolucionado que otros deportes de equipo, como el baloncesto o el balonmano, porque ellos tienen la ventaja de jugar con la mano y en espacio pequeño, con lo que hacen posibles cosas nuevas más fácilmente y consiguen asociarse de maneras distintas. En cambio nosotros, al jugar con el pie, en campo grande y compartiendo terreno de juego con el rival, para cambiar cualquier cosa necesitamos elevar mucho el denominado nivel técnico de los jugadores. Para que estos cambios y evoluciones puedan llevarse a cabo tiene que evolucionar mucho la formación de los jugadores. Que acepten que no basta con jugar, sino que hay que comprender el juego. Hay intuiciones y hay talentos específicos. Un jugador descubre que se dribla hacia la derecha cuando el pie izquierdo del oponente está en el suelo y no*

puede salir de ahí, pero otro no lo descubre nunca, con lo que no dribla nunca y acaba limitándose a pasar el balón. Y también porque nadie se lo ha dicho. La verdad es que los jugadores, a pesar de los entrenadores y del entorno, son capaces de construir cosas nuevas que después se aprovechan por parte de algunos, los más listos, sean entrenadores o instituciones, para decir que el juego ha seguido evolucionando. Por eso se dice que el fútbol es de los futbolistas. Sí, en parte es verdad porque son quienes lo desarrollan, pero es más de los equipos. A la historia pasan los equipos. Los Húngaros Mágicos, La Naranja Mecánica, el Milan de Sacchi, El Pep Team...

La influencia del cognitivismo y el estructuralismo es clave en la organización del entrenamiento de Seirul·lo y difiere de la concepción pretérita de considerar al ser humano como una máquina. El deportista está formado por una red de estructuras cuya optimización permite resolver una determinada situación de varias maneras. Seirul·lo (2000) cree que las estrategias de entrenamiento y aprendizaje no deben estar basadas en la repetición de movimientos sino en proporcionar al jugador diferentes experiencias que le lleven a intercambios de información entre sus sistemas y el medio ambiente. Esta variabilidad le ayudará a crear nuevos esquemas de autoestructuración y la autooptimización de sus sistemas hacia el movimiento deportivo final.

La única manera en que nosotros podemos intervenir en su autoconformación es proponiéndole modificaciones significativas específicas del entorno con el que debe interactuar, para que pueda encontrarse con los valores de diferente naturaleza que consideramos necesarios integrar en los referidos sistemas y subsistemas. Estos intervendrán necesariamente en diferente medida y frecuencia temporal, según hayamos modelado los elementos significativos de las interacciones presentadas en los variados escenarios del entorno específico que propongamos para las distintas sesiones de entrenamiento y competiciones en las que el humano deportista deberá participar para conseguir su optimización. (Seirul·lo, 2017)

Esto otorga una característica única al proceso, ya que si el sistema perteneciese a una estructura diferente, funcionaría de otra manera (Seirul·lo, 2000). El caso de Pep Guardiola, en sus inicios como futbolista, podría ser utilizado como ejemplo de esta interpretación de la persona, significado en las palabras de Johan Cruyff (citado en Suárez, 2012).:

Todavía recuerdo cuando me dijeron, al llegar al Barcelona, que en la cantera había un chico que era de lo mejor técnicamente. ¿Por qué entonces no estaba en el filial, ni en Juvenil A? Lo encontré en el segundo equipo del juvenil. La excusa era la de siempre: que era débil físicamente. Pedí que lo pasaran al filial y que le colocaran en una posición en la que se exigiera más. Al sentirse valorado, dio un salto. Si a los chicos de la cantera no les creas la expectativa, los matas. Los menos fuertes, además, han desarrollado una inteligencia especial, una habilidad para buscar alternativas, porque si no lo haces y chocas, estás perdido. Aprendes en base a tu propio cuerpo. A mí me sucedió. Yo no era fuerte.

El propio Guardiola (citado en Suárez, 2012) reconoce sus limitaciones físicas y explica su adaptación al pasar de jugar de la posición de extremo a la de centrocampista:

Si no te adaptas, no sobrevives. Como tenía menos físico que los demás, debía pensar más rápido, tocar más rápido, no chocar. De esa forma te vas formando inconscientemente, te adaptas a tus déficits. Si alguna vez choco con otro mediocentro o marcador, es que he hecho algo mal, está claro.

Xavi Hernández (citado en Couto, 2019c) experimentó en primera persona este proceso de supervivencia en el juego con unas, aparentemente, desfavorables capacidades físicas y explica:

Yo creo que mis condiciones futbolísticas, con la idea que implantó Cruyff aquí, me han ido perfectas. Porque aquí, antes de la llegada de Cruyff, decían: "Este futbolista no puede jugar al fútbol profesional porque es pequeño... No puede porque no es fuerte..." y Cruyff decía: "¿Pero es bueno, o no es bueno?" Entonces puede jugar al fútbol. No hace falta... Muchas veces, Cruyff decía: "La velocidad mental, es muchísimas veces, muchísimas veces, mucho mejor, o más importante, que le velocidad física!" Claro, si reúnes las dos cosas, ¡eres Messi! ¿Entiendes? ¡Messi tienes las dos!

En consecuencia, tal y como se indicó anteriormente, se debe enfocar la atención en la persona, en lo que sucede dentro del jugador y no en lo que observamos externamente (Seirul·lo, 2000). Los procesos internos del jugador y no los factores externos, como tradicionalmente se concebía, están a cargo de esta "estructuración diferenciada" y la automodelación (Seirul·lo, 1998a). Al entrenar sus propios recursos el jugador, en última instancia, optimizará sus potencialidades (Seirul·lo, 2003). La autoestructuración por "optimización diferenciada" se puede conseguir por (Seirul·lo, 2002):

‣ El establecimiento de habilidades técnico-tácticas en las cuales el jugador es competente.

‣ La observación de la influencia de la competición en el futbolista.

‣ La constante adquisición de conocimiento sobre el juego, el entrenamiento y sí mismo.

‣ La generación de su propia imagen social en situaciones que requieren de interacción.

‣ El logro de conocimiento del juego por parte del jugador durante la práctica mediante el uso de herramientas tecnológicas y de investigación.

Para poder conseguir los objetivos pretendidos las tareas de entrenamiento deben exponer a los futbolistas a condiciones no lineales y variables, que son esenciales para crear un proceso de aprendizaje efectivo. Los sistemas no lineales se basan en la creación de sucesivas situaciones de desequilibrio (Seirul·lo, 2000). Cuando las características iniciales y finales del entorno son modificadas, el jugador tiene que elaborar nuevas soluciones como reacción a sus relaciones personales con el medioambiente. En el lado opuesto, si siempre usamos contenidos de entrenamiento idénticos las estructuras estarán en equilibrio y el jugador utilizará los mismos sistemas para resolver las situaciones, perdiendo potencia prospectiva (Seirul·lo, 2000). Esto deriva en que sea esencial proporcionar variabilidad a los jugadores para garantizar la máxima potencia prospectiva de cada uno de sus sistemas. Al hacerlo así, el futbolista puede configurar su propia estructuración sistémica para resolver las tesituras del juego de diferentes maneras. A largo plazo esto es crítico ya que:

> *El sujeto que tiene talento y que se ha construido de esta forma, aún sin saberlo, construye situaciones distintas que la mayoría de los sujetos porque el camino de autoestructuración ha sido distinto para cada uno de sus sistemas, autodiseña una alternativa de optimización del producto de su configuración genética pero que se optimiza o no, cuando pertenece a un determinado conjunto distinto de sistemas, todos tiene el mismo sistema nervioso, la estructura formal, pero se autooptimizan de forma totalmente distinta según*

las experiencias motrices que hemos tenido a lo largo de nuestra vida y de cómo las hemos aprendido. (Seirul·lo, 2000).

Esto es una característica esencial de los jugadores de alto nivel, que están en un punto de desequilibro al no haber sido entrenados con modelos lineales. De hecho, estos jugadores responden como sistemas abiertos y no lineales y "por eso muchas veces los jugadores de talento no hacen caso a sus entrenadores y no nos hacen caso a nosotros, porque ven que no son válidos para lo que ellos necesitan" (Seirul·lo, 2000). El desarrollo del jugador sólo se puede conseguir cuando todas las estructuras progresan armónicamente (Seirul·lo, 2002).

Para implantar cualquier evolución han hecho falta entrenadores con pensamiento no convencional. Pero que lo han aplicado una vez observado un fenómeno concreto que se haya dado. Y eso lo han hecho a través de jugadores que no han sido disciplinados en la disciplina ataque-defensa. Aquellos jugadores que no han sido disciplinados en esto han hecho ver a los entrenadores que se podían hacer otras cosas, y gracias a estas cosas, esos entrenadores han conseguido ir generando evoluciones del juego en dimensiones cada vez distintas. (…) [El jugador poco disciplinado] ha generado la curiosidad del entrenador, lo que unido a su capacidad de observación y de reflexión y análisis ha desembocado en una evolución concreta. Si eres un entrenador convencional, no solo no aportas nada, sino que al jugador indisciplinado [indisciplinado en el sentido de la disciplina ataque-defensa] lo apartas. Ese el motor que ha hecho evolucionar el fútbol, porque si el entrenador que observa la "indisciplina" es curioso y listo, probablemente se le encenderá una bombilla y pensará: "¡Ah, resulta que es posible hacer esto y esto otro!" Por lo tanto, surgen construcciones o constructos de pensamiento que desarrollan elementos nuevos de la evolución del juego. Y avanzamos. (Seirul·lo, citado en Perarnau, 2016)

Por ello, los sistemas de entrenamiento deben adaptarse a las necesidades específicas de los jugadores en cada momento de su vida deportiva (Seirul·lo, 1999). En línea con la argumentación previa, Valdano (citado en Suárez, 2012) ofrece una reflexión interesante que puede servir para resumir este apartado:

Si intentas sistematizar a un genio, corres el riesgo de matar su creatividad. La mecanización eleva a los mediocres pero hunde a los creativos. Es muy

difícil, sin embargo, dañar a jugadores como Messi o Agüero, porque son per-
sonalidades que han sobrevivido a todo el proceso. Cuando llegan al primer
equipo, no hay quien les haga cambiar el patrón de juego.

Los fundamentos del Entrenamiento Estructurado

La capacidad de autoestructuración del deportista es esencial para comprender esta nueva concepción del entrenamiento de los deportes de equipo, que también ha sido denominada Microestructuración, Microciclo Estructurado (Seirul·lo, 1998a, 2001) o, más recientemente, el Modelo Cognitivo de Seirul·lo de Funcionalidad Sinergética (Martín Acero *et al.*, 2013). Bajo esta perspectiva, el deportista está formado por una interacción de estructuras, sistemas dentro de sistemas, que construyen una relación de alta complejidad en la que todos los elementos están en recíproca conexión (Seirul·lo, 2002, 2005b). Por ello, Seirul·lo destaca que el uso en el fútbol de los clásicos ejercicios cerrados, lineales y repetitivos carecen de sentido en su metodología, tal y como refleja la siguiente afirmación del año 2000:

> *Yo te diré que el FC Barcelona en los cinco años en los que he estado entre-*
> *nando nunca ha hecho una carrera continua de más de seis minutos (ni en la*
> *pretemporada), no sale a correr 40 minutos por la mañana en el bosque, no.*
> *Fartleks no hemos hecho nunca en la vida, el fartlek es un entrenamiento de*
> *atletismo que se ha adaptado a otras cosas, pero es un entrenamiento atlético,*
> *bueno para los atletas. La velocidad de reacción en el deporte individual no*
> *sirve para nada en los deportes colectivos.*

Un razonamiento similar era compartido por Laureano Ruiz (citado en Perarnau, 2011) cuando comenzó a dirigir el fútbol base del FC Barcelona en los años setenta:

> *A los pocos días de llegar a Can Barça, los entrenadores jefes y técnicos*
> *vienen y me dicen: "¿Tus jugadores nunca corren? ¿Qué hacen? ¡Han de*
> *correr para coger resistencia y fuerza!". Yo les digo: "Mira, si nos dedicamos*
> *a correr ¿cuándo aprenderán a jugar?" Porque no sabían jugar, ni domina-*
> *ban la pelota. Pero mientras juegan partidos están mejorando la condición*
> *física, mejoran el manejo del balón y los gestos técnicos y la cuestión táctica.*
> *Con mi ayuda pueden mejorar muchísimo todos estos factores, que es lo que*
> *más necesitan. Sin pasar mucho tiempo, todo el mundo lo entendió y pasó a*

hacerlo y siguen haciéndolo. (…) La carrera continua es el antifútbol. Un futbolista nunca corre en carrera continua durante un partido, sino al contrario: un esprint corto por aquí, un frenazo, un cambio de dirección, un esprint largo, una pausa… El futbolista hace justo lo contrario de la carrera continua que los entrenadores consideraban imprescindible.

Todas las propuestas en el Entrenamiento Estructurado deberían estar centradas en el deportista (Seirul·lo, 2003). Por ello, el entrenamiento debe proporcionar situaciones donde las diferentes estructuras y sistemas del futbolista interactúen entre sí y se adapten al contexto deportivo específico (compañeros, adversarios y entorno). Los escenarios de entrenamiento deben respetar la funcionalidad sistémica del humano deportista, por lo que los entrenadores necesitan identificar las condiciones de práctica que cumplen los requisitos de complejidad y que favorecen su optimización (Seirul·lo, 2017).

Cuando un futbolista se enfrenta a una nueva situación de entrenamiento, su desarrollo no debe basarse en cómo repite una respuesta dada sino en cómo es capaz de organizar sus estructuras para resolver estas circunstancias que le desafían. Esto determina una dirección de entrenamiento que Seirul·lo (2002) denomina "priorizada" en lugar de "jerarquizada". La optimización de todas las capacidades y estructuras mejorará su futuro desarrollo como futbolista (Seirul·lo, 2001).

Estas microsituaciones de entrenamiento pueden estar priorizadas o orientadas hacia una capacidad condicional preferente como la fuerza, resistencia o velocidad. Esto se puede lograr mediante la gestión del número de repeticiones y series, los períodos de recuperación entre tandas de ejercicios, la intensidad, etc. Además, los contenidos deben solicitar la participación de las estructuras coordinativa (habilidades deportivas específicas) y cognitiva (procesamiento de la información y toma de decisiones). Cuando el entrenador respeta estos postulados para organizar el entrenamiento, está construyendo sistemas de entrenamiento específicos para los deportes de equipo (Seirul·lo, 1999).

El proceso por el que una persona encuentra una solución a estas situaciones prácticas de alta variabilidad es único, ya que cada deportista genera estrategias de autoorganización personales para poder alcanzar superiores estadíos de autoestructuración durante su vida deportiva. Por ello, es un procedimiento muy personal y cada futbolista debe asumir responsabilidad a la hora de gobernar su proceso de aprendizaje. La progresión a niveles más elevados de competencia dependerá de la potencia prospectiva del futbolista, es decir, de su habilidad para gestionar la capacidad de autooptimizar su rendimiento a través de interactividades dinámicas (Seirul·lo, 2002). Para clarificar estas ideas, nada mejor que leer cómo Seirul·lo explicaba en el año 2012 la manera en que Andrés Iniesta logró su nivel de excelencia:

> *Desde los 12 años estaba aquí en la Masía y hasta el año pasado no ha hecho nada de estructura condicional. Su propia biología y práctica específica le ha dado posibilidad de llegar donde ha llegado sin hacer nada de fuerza, ni de velocidad, ni de resistencia, ni de flexibilidad... y vosotros diréis ¿eso es mentira! ¡¡Es verdad!! ¿Qué significa? Que siendo muy débil y muy poco resistente, poco rápido y poco de todo, en el sentido de poco que tenéis vosotros, ha "hipertrofiado", para nosotros optimizado, sus estructuras cognitiva, coordinativa, lo emotivo, etc. Él disfruta mucho más dando un buen pase o manteniendo el juego con el pase, que no haciendo un gol. Estos valores que ha estado utilizando a lo largo de toda su vida cuando ahora le exigimos un paso más para que así pueda aplicar y hacer frente a cualquier oponente y situación, necesita simplemente entender cómo es su adversario, lo que es capaz de proponer en su juego junto con los demás compañeros de su equipo. Porque en los deportes de adversario, el gran problema de la competencia está en el que está enfrente, su evaluación nos da la referencia de qué hacer para superarlo y creando situaciones desconocidas para él, poder mostrar alta competencia en el desarrollo como hace Iniesta con esa "aparente" facilidad en la superación de adversarios y construir el juego que en cada momento requiere el partido.*

El antiguo seleccionador español Javier Clemente (citado en Suárez, 2012) continúa explicando las virtudes especiales de Iniesta como futbolista:

> *Le ves y dices: "Pero si es un enano al que puedes tirar si le soplas". En cambio, no sabes los balones que roba, y en eso se fija poco la gente. No lo hace por físico, intercepta por posición. No choca porque le falta estatura, pero es que no la necesita. Le basta con anticiparse.*

Finalmente, el propio Iniesta (citado en Suárez, 2009) da su propio punto de vista sobre su desarrollo como jugador a pesar de sus limitaciones físicas:

Desde niño sabía que no tendría un físico importante, pero nunca me he sentido por ello inferior en un campo. La cabeza es lo que manda. Ni siquiera por ser más alto o fuerte robarás más balones. El fútbol necesita más de la intuición que del físico. No hace falta tirarse siempre al suelo con fuerza.

Tal y como se indicó en el apartado anterior, Pep Guardiola, en sus días como jugador, fue otro ejemplo de futbolista que potenció otras estructuras para poder sobrevivir en el deporte de alto nivel. Perarnau (2014) describe cómo Guardiola era un jugador físicamente débil sin virtudes defensivas, por lo que debía "intuir el siguiente pase incluso antes de recibir el balón, entrenar el cuerpo para facilitar el gesto técnico y basar la fortaleza del juego en el apoyo al compañero mediante el pase". Seirul·lo (2000) utilizó otro ejemplo práctico para explicar con mayor detalle su visión sobre este tema, en una ronda de preguntas y respuestas durante un congreso:

Si yo te digo que el jugador del Barcelona que tiene más velocidad es Guardiola, ¿te lo crees o no? No, igual de pensamiento, pero Figo o Sergi son más rápidos. Yo hago un entrenamiento de velocidad a la semana. El jugador que resuelve mejor las situaciones de velocidad, con los componentes que le incluyo es Pep; y es muchísimo más rápido en 5-20 m, frenar, salir, Sergi qué el, pero si antes de salir tiene que elaborar un cálculo, durante la realización tiene que ver la disposición de los compañeros para ir en una dirección o en otra y en el momento de llegar tiene que estar en una determinada postura en el campo, el primero es Guardiola.

Por todo lo anterior, el entrenamiento no debería estar dirigido a potenciar selectivamente una determinada estructura o sistema, tal y como los métodos de acondicionamiento tradicionales han pretendido, sino que debería promover y estimular nuevas interacciones entre estructuras, optimizando las capacidades del futbolista de acuerdo con su nivel de competición. No se trata de obtener el máximo de una estructura aislada, sino conseguir que todos los sistemas interactúan, retroactúen y colaboren sinérgicamente para alcanzar una autoestructuración superior (Seirul·lo, 2012), respetando lo que se ha denominado como Principio de Acción Sinérgica (Seirul·lo, 1998a). Para poder alcanzar esta autoorganización, Seirul·lo (2005b, 2017) enfatiza que el entrenamiento debe respetar las siguientes características:

- Las variables y capacidades no deben ser maximizadas sino optimizadas puesto que nunca tendremos la certeza científica del nivel inicial del jugador. Optimizando las interacciones entre los sistemas se conseguirá optimizar toda la estructura.

- Los cambios estructurales sólo son posibles cuando las estructuras tienen una gran variedad de fondo, lo que permite crear interconexiones con otras estructuras y sistemas.

- Las secuencias y contenidos no pueden depender exclusivamente del interés del entrenador, deben ser apropiadas para cada jugador (y equipo) en un momento determinado de su vida deportiva.

- Tenemos que llevar a los jugadores a través de caminos configuradores donde no podemos definir, de antemano, el futuro del jugador. Este camino debe ser específico y cercano a la plena especialización, es decir, asegurando continuamente que los sistemas del jugador están lejos del equilibrio, para que haya un intercambio energético con el medio ambiente.

- Este camino de configuración es irreversible, por lo que no podemos volver sobre él ya que siempre quedará una traza residual conformadora en el jugador.

- Las prácticas de entrenamiento deben ser organizadas en grupos para respetar las condiciones específicas de los deportes de equipo.

Como se irá viendo a lo largo de las siguientes páginas, el Entrenamiento Estructurado está compuesto por dos áreas diferentes (Tarragó *et al.*, 2019): el entrenamiento optimizador y el entrenamiento coadyuvante. Por un parte:

> *El entrenamiento optimizador se ocupa de la planificación, diseño, ejecución y control de todas las tareas de entrenamiento que el deportista debe practicar y que tiene como objetivo optimizar el rendimiento de éste en las competiciones a lo largo de su vida deportiva. (Seirul·lo, 2010).*

En el mismo texto, Seirul·lo (2010) afirma que:

> *El entrenamiento coadyuvante está compuesto por todas las prácticas que permiten al deportista gozar de un estado de salud que le posibilita realizar cada día las tareas propuestas por el entrenamiento optimizador y participar en todas las competiciones de su especialidad, siempre en el nivel de*

rendimiento esperado, para así poder lograr los objetivos propuestos en cada temporada de competiciones

De esto modo, ambas formas constitutivas son entidades indisociables del Entrenamiento Estructurado.

II.3 LA PLANIFICACIÓN EN EL FÚTBOL

Definición de planificación

Las tareas de planificación en un deporte colectivo como el fútbol deben ser consideradas dentro de un contexto más amplio, el proyecto deportivo. Las circunstancias externas están siempre retroalimentando los planes de acción, por lo que el entrenador debe manejar tantas variables como sea posible. Dentro de las características que ayudan a configurar el proyecto del equipo, Seirul·lo (2001, 2005b) recomienda identificar la historia y entorno cultural del club, su organización funcional, las condiciones socio-económicas de jugadores y técnicos, los objetivos de la temporada, el calendario de competiciones, las facilidades de entrenamiento y las tecnologías disponibles. Todos estos factores tendrán un impacto sobre el tipo de jugadores, entrenador y cuerpo técnico a contratar, ya que todo deber estar relacionado con la creación de un estilo de juego en consonancia con la filosofía del club.

Una vez que las características del proyecto deportivo se han concretado, el siguiente paso sería la planificación del proceso. Seirul·lo y Solé (2017) definen la planificación como:

El conjunto de presupuestos teóricos que realiza el entrenador y que incluyen la descripción, previsión, organización y diseño de cada uno de los episodios de entrenamiento, así como disponer los medios de análisis y control necesarios para modificar estos episodios con el objeto de lograr la optimización de los jugadores.

Siguiendo el razonamiento de los apartados precedentes, la planificación en el fútbol debe respetar la complejidad intrínseca del deporte. Los planes tradicionales basados en los deportes individuales no tienen cabida en el fútbol, ya que todo debe ser referenciado a un entorno complejo: interacciones cambiantes entre los sistemas, relaciones espacio-temporales cualitativas, alta variabilidad, contexto no lineal, episodios de juego indeterminados y aleatorios, etc. (Seirul·lo, 2002, 2005b). Seirul·lo (2001) clarifica su visión sobre este tema al afirmar:

> En las planificaciones de los deportes individuales y por extensión a los de equipo, se hacen propuestas muy cerradas, se intenta que "este jugador" se adapte "al jugador" que teóricamente se ha construido por la experiencia de un grupo de entrenadores, que bajo la justificación de la ciencia lo proponen como modelo ideal de jugador para la práctica de ese deporte. El jugador que se adapta a ese modelo es el que rinde, según ellos, más en ese deporte. Es decir, el modelo del jugador se construye desde el deporte, a partir de cómo ciertos entrenadores interpretan el deporte suponiendo que su interpretación es la única, la mejor, sin darse cuenta que esa construcción en la mayoría de casos la realizan con la experiencia acumulada por el éxito de un jugador o en el mejor de los casos por un grupo de jugadores que tuvieron éxito, surgiendo ese modelo por él o su grupo construido; sin reparar, o casi sí, en que sólo triunfan con él cierto perfil de jugadores que son los que por casualidad tienen muy parecida bioestructura a aquéllos. El resto según ellos no valen para ese deporte. Así se han malgastado muchos deportistas que fueron muy disciplinados y siguieron a rajatabla tales planificaciones no adecuadas a sus capacidades.

De acuerdo a lo anterior, el epicentro de la planificación en el fútbol debe ser el jugador actual y no los datos sobre rendimientos pasados, es decir, el uso de referencias externas o valores de futbolistas ideales. Las estructuras del futbolista están siempre en un desequilibrio dinámico, por lo que el jugador tiene que estar a cargo de dirigirse a sí mismo a través de procesos de autoconformación a lo largo de su vida deportiva (Seirul·lo, 2005b). Por ello, el objetivo debe estar siempre centrado en el futbolista, en cómo es capaz de continuamente optimizar sus sistemas dentro de sus propias interpretaciones del deporte (Seirul·lo, 1998a).

La planificación implica "prever y secuenciar los acontecimientos de entrenamiento necesarios para los deportes de equipo" (Seirul·lo, 2005b). Estos eventos de entrenamiento incluyen todas las situaciones prácticas como ejercicios, sesiones, competiciones, recuperaciones, tests médicos y físicos, vacaciones, etc. En otras palabras, todo lo que el jugador hace mientras está bajo la estructura del equipo. No se trata de lograr un punto óptimo de forma y mantenerlo durante varios partidos, ya que deben proporcionarse continuos retos de adaptación en la búsqueda de mejoras cualitativas a lo largo de la vida deportiva del futbolista (Seirul·lo, 1998a). Una opinión más reciente de Seirul·lo (citado en Palomo, 2012) es útil para comprender sus ideas básicas sobre la planificación:

> *El proceso del que hablo, de entender el fútbol así, no se hace en una temporada. Es una filosofía de entender el juego, un poco la filosofía del Barcelona. La identidad de un equipo es concretamente definida por el tipo de jugadores que tiene y la filosofía que conlleva el entorno en el que están esos jugadores. Si en la dimensión del entrenamiento se fomentara algo que no fuera estrictamente eso, se complica. Si nosotros tenemos una condición física ajustada a lo que necesita ese jugador, se puede mantener toda la temporada. La calidad, en términos tradicionales, predominante para eso es la resistencia a la fuerza y la velocidad. Este tipo de cualidad se recupera muy rápido y se puede estar entrenando prácticamente todo el año. Mientras que si hiciéramos el ciclo "tradicional, resistente" tendríamos muchos problemas para mantenerlo toda la temporada. La carga de competición es muy alta, tres partidos por semana, y si además tuviéramos que entrenar resistencia estaríamos haciendo más lentas las formas de desplazamiento que necesita el jugador en este tipo de juego. Nosotros siempre tenemos la tendencia a trabajar en entrenamiento poco tiempo, pero siempre a muy alta velocidad. Esos elementos a muy alta velocidad se optimizan siempre con muy pocas repeticiones y más tiempo de pausa. Con situaciones de juego reales en espacio reducido. Todo esto te da posibilidades de estar prácticamente toda la temporada en buen estado de forma.*

El concepto de forma deportiva del futbolista

Como la metodología de entrenamiento de Seirul·lo se basa en la persona es muy importante definir la noción de forma deportiva, puesto que tiene una gran influencia en la configuración del paisaje de entrenamiento. Seirul·lo (2005b) cree que ponerse en forma no abarca sólo la vertiente física del rendimiento, ni el desarrollo excesivo de una única capacidad. El fútbol no funciona de esta manera ya que el objetivo es optimizar continuamente la interacción dinámica de todas las estructuras, sin maximizar el crecimiento de una de ellas en concreto. Bajo esta aproximación holística, la forma del deportista de equipo tiene que ser observada desde los siguientes prismas (Seirul·lo, 1993, 1998a):

▸ **Desde la perspectiva individual del jugador:** Todos los sistemas del futbolista deben estar optimizados, colaborando conjuntamente para dar solución a los problemas que pudieran surgir durante cada partido y mejorando el rendimiento individual dentro de la organización del equipo.

▸ **En relación a los compañeros:** Debe haber una forma deportiva homogénea entre todos los jugadores de un equipo, para facilitar las interacciones entre los futbolistas y aplicar el estilo de juego colectivo y los sistemas particulares.

▸ **En relación a los adversarios:** Durante una temporada habrá confrontaciones contra multitud de rivales en distintas competiciones, por ejemplo, en torneos nacionales e internaciones. Cada equipo rival tendrá diferentes características individuales y estilos de juego colectivos que deben ser considerados y estudiados.

▸ **En relación al momento de la temporada:** Los deportes colectivos presentan, habitualmente, un período de competición muy largo que, en el caso de los equipos europeos de fútbol, puede ser de hasta diez meses de duración. Durante la temporada un equipo puede participar en distintos torneos con formatos variados: ligas, copas, play-offs, etc. Por ello, cada momento de la temporada puede requerir un nivel diferente de forma deportiva de acuerdo con los objetivos del equipo. Seirul·lo (2001) añade que estas solicitaciones pueden también estar influenciadas por las expectativas sociales del entorno, como sucede al enfrentarse a un equipo con el que existe gran rivalidad. Esto resalta la importancia de concebir la forma deportiva de un equipo bajo una perspectiva ecológica, siendo imposible abstraerse del entorno cultural y de las presiones sociales.

El largo período competitivo que caracteriza al fútbol no permite manifestar los principios de los modelos tradicionales de periodización, en los que los picos de forma coincidían con el momento de la temporada con la mayor densidad de competiciones trascendentales (Matveiev, 1964, 1977). Por ello, Seirul·lo (1987a), siguiendo a Bompa (1984), define tres niveles de forma en los que el futbolista podría estar a lo largo de una temporada:

▸ **Nivel de forma general**: Principalmente vinculado a un alto desarrollo de todas las capacidades físicas, es decir, debido a la acumulación de volumen de trabajo genérico.

▸ **Alta forma deportiva**: Caracterizado por la implementación de contenidos de entrenamiento específicos (técnico-tácticos), que llevan a adaptaciones relacionadas con el deporte particular.

▸ **Óptima forma deportiva:** Representa el máximo nivel que el deportista puede lograr, en el que los valores condicionales, técnicos y tácticos están optimizados dentro del contexto deportivo específico.

De manera ideal, sería interesante que el futbolista estuviese en este último nivel el mayor tiempo posible durante la temporada. Sin embargo, es difícil llevar esto a la práctica ya que es imposible que un futbolista mantenga una forma óptima durante un período de nueve o diez meses de duración (Seirul·lo, 2001). Por esta limitación, los futbolistas deben estar en el segundo nivel -en un nivel de forma deportiva alto y subóptimo- durante la mayor parte de la temporada, pudiendo acceder al nivel óptimo en tres o cuatro momentos seleccionados (Seirul·lo, 2001). La manera en que la dinámica de las cargas se organiza debe facilitar estas transiciones entre niveles, aplicando sinergias entre los contenidos de entrenamiento al mismo tiempo en el que se debe evitar el uso de cargas genéricas (Seirul·lo, 2005b). En este sentido, el modelo de entrenamiento en bloques de Verkhoshansky (Verkhoshanky y Verkhoshansky, 2011) y las ideas de Bondarchuk (1988) de relacionar los componentes condicionales, técnicos y tácticos, pueden servir como referencia para tratar de comprender la organización del entrenamiento de Seirul·lo.

Debido a que el rendimiento en los deportes de equipo depende de la interacción entre diferentes jugadores, el concepto de forma deportiva no debe limitarse al análisis de un único jugador, ya que "la cooperación es necesaria para la evolución hacia nuevos niveles de organización" (Nowak, 2006, citado en Couto, 2018). Por ello, el entrenador tiene que desarrollar una aguda percepción de la situación para ser capaz de promover sinergias en la forma deportiva entre los jugadores de su equipo. La estimulación adecuada de todos los futbolistas ayudará a sincronizar la interacción entre ellos para optimizar el rendimiento colectivo. Es por ello que Seirul·lo (2001) sugiere el uso del Entrenamiento Estructurado o Microestructuración para lograr los resultados pretendidos en los deportes de equipo, como ha venido experimentando durante más de 30 años.

Nosotros entendemos que tenemos que estar, en el concepto clásico de estado de forma deportiva que nace del atletismo, en un nivel de rendimiento de tu récord personal. Cuando estás en ese nivel de récord personal, es muy complicado en el fútbol. Porque, ese concepto de estado de forma individual se mide en función del ámbito de relaciones que tiene con los de su equipo y que hacemos entre todos para superar al contrario. (…) Para nosotros, estar en un estado de forma es cuando todas las funciones que tú tienes que hacer en cada lugar del espacio de nuestro juego, las cumples, y además ayudas un poco más a otras funciones de otro compañero que tú ves que en ese momento no las ha cumplido. Eso es el jugar bien y eso es el estado de forma óptimo. El mantener ese altísimo estado de forma, podemos decir colectivo, o en función del juego, no es difícil y se puede hacer durante mucho tiempo. Mientras que el estado de forma individualizado sólo se puede pensar en que son momentos puntuales y en el fútbol hay tantas necesidades en momentos, que no se puede en todos momentos puntuales del juego estar en un estado de forma increíble a nivel personal. (Seirul·lo, 2014, citado en Couto, 2019c)

Características de la planificación con el fútbol

Seirul·lo (1998a, 2005b) identifica cuatro grandes características que los planes en el fútbol deben tener: únicos, específicos, personales y temporizados.

Única

El hecho de que la planificación reciba esta consideración refleja la necesidad de hacer converger todas las estrategias de pensamiento y acción de las personas que están directamente involucradas en el ámbito del rendimiento del equipo. De esta manera, deben discutirse los diferentes puntos de vista de los miembros de un cuerpo técnico sobre cómo entender el fenómeno de entrenamiento. Esto permitirá la adopción de un criterio uniforme para proporcionar a los futbolistas propuestas inequívocas (Seirul·lo 2005b). Más aún, estas tareas de entrenamiento deben ser consistentes con el proyecto del equipo de cara a implementar una metodología de entrenamiento de acuerdo con la filosofía de juego del club, sin que esto signifique la copia de modelos externos. Seirul·lo (citado en Salebe, 2011) hace referencia a cómo ocurrió este proceso en el FC Barcelona en el siguiente comentario:

El fútbol del Barcelona desde hace 20 años, cuando estuvo Johan Cruyff, lleva una metodología específica para la enseñanza y el aprendizaje de una forma de jugar al fútbol y una filosofía de llevarlo a cabo. El proceso no es de pocos días, sino que es de mucho tiempo, y empieza con los niños de 14, 15 y 16

años, que cuando pasan al primer equipo con 20, 22 años o menos, es cuando
se manifiesta lo que es la escuela y la formación para jugar en esta dimensión.

Bajo la perspectiva de Seirul·lo (1998a, 2005b), la noción de planificación única tiene un presupuesto inevitable que es la concepción de la persona como una estructura hipercompleja. Es por esto que el entrenamiento debe estar enfocado en optimizar todas las estructuras y sistemas a través de las interacciones entre ellas.

Específica

Como su propio nombre sugiere, la planificación tiene que ser consecuente con las características particulares de cada deporte. Las reglas del juego y las normas de cada competición sientan las propiedades singulares del fútbol, lo que impide que los contenidos de entrenamiento sean transferidos entre distintas disciplinas. Seirul·lo (1998a, 2005) enumera las siguientes características que resaltan la importancia de desarrollar planes específicos en el fútbol de acuerdo a:

‣ Cómo el jugador interpreta la lógica interna del deporte.

‣ El significado que el entorno de la competición tiene en los futbolistas: árbitros, familiares, aficionados, directivos, etc.

‣ La gestión durante la temporada del número de competiciones, sesiones de entrenamiento, recuperaciones, viajes, etc.

‣ El logro de éxito en las competiciones más importantes de la temporada, en consonancia con los objetivos del equipo.

‣ La normativa de cada competición en relación al número de jugadores que pueden participar.

‣ La organización de cada competición a nivel individual, la gestión de los jugadores y los minutos a jugar por cada uno de ellos.

‣ Los resultados en las competiciones previas y las expectativas generadas para los siguientes partidos.

‣ Las características del siguiente rival en la competición.

‣ Cómo el jugador acepta las decisiones del árbitro durante el juego.

‣ La manera de planificar las sesiones de entrenamiento, combinando estímulos individuales y grupales. Seirul·lo (2005b) resalta que, aunque se lleven a cabo sesiones colectivas, el jugador debe sentir como si el entrenamiento estuviese especialmente diseñado para él, para satisfacer sus demandas personales.

Todos estos factores deben ser tomados en consideración por el cuerpo técnico a la hora de diseñar un plan especifico, para poder ser capaces de aumentar la calidad de las propuestas de entrenamiento en la búsqueda de la optimización intersistémica del futbolista. Podría, incluso, ser interesante evaluar la situación inicial del jugador de acuerdo a los anteriores epígrafes, tratando de identificar su nivel conformador en cada momento de su vida deportiva (Seirul·lo, 2005b).

Personalizada

De nuevo, se vuelve a privilegiar la dimensión hipercompleja del deportista puesto que todo lo que se haga durante el entrenamiento debe considerar la persona dentro del deporte. El concepto de personalizada tiene que ir más allá de la idea de individualizada, ya que todas las tareas de entrenamiento de los deportes colectivos deben estar diseñadas para grupos (Seirul·lo y Solé, 2017). Todas las estructuras personales son un reflejo de los procesos subyacentes, lo que crea una red dinámica de relaciones entre los sistemas (Seirul·lo, 2002). En este sentido, y cómo se indicó anteriormente, lo que tradicionalmente conocemos como capacidades sólo representan evaluaciones parciales de los procesos que ocurren en un sistema de una estructura (Seirul·lo, 2002). Esto implica que la progresión de un deportista sólo pueda lograrse cuando todos las estructuras se desarrollan uniformemente.

Seirul·lo (1998a, 2004, 2005b) recomienda respetar los siguientes tres criterios antes de diseñar un plan de entrenamiento personalizado:

- ▸ **Talento deportivo personal:** No consiste en la demostración aislada de excelencia con una sola capacidad, ya que requiere de una interpretación sistémica. El talento personal debe reflejar la interacción entre todas las estructuras.

- ▸ **Proyecto de vida deportiva:** La Figura II.2 resume las fases del plan de desarrollo a largo plazo que Seirul·lo propone para los deportistas de equipo. Cada edad y duración de las fases debe ser adaptada a las situaciones personales. Es extremadamente importante no saltarse fases en la iniciación, ya que esto podría dar lugar a que los futbolistas pierdan potencia prospectiva. Esta clasificación no supone solamente una referencia, puesto que tiene un efecto decisivo en los objetivos de la planificación. Por ello, es esencial determinar en qué momento de su vida deportiva se haya el jugador cuando se está planificando.

▸ **Integración diferenciada:** Este último criterio revela la importancia de agrupar los valores internos del jugador (talento y vida deportiva) con el juego y el entorno. Es decir, el entrenamiento debe proporcionar eventos que faciliten la integración del jugador en la estructura del equipo y, a su vez, todas las alternativas de juego del equipo en el jugador.

Edad (años)	Fase	
5	Iniciación a la Práctica	Práctica regular inespecífica (5-7 años)
		Formación general polivalente (8-10 años)
		Preparación multilateral orientada (11-13 años)
16		Iniciación específica (14-16 años)
17	Adquisición del Alto Rendimiento	Especialización (17-19 años)
		Perfeccionamiento (20-23 años)
28		Estabilidad y alto rendimiento (24-28 años)
29	Funcionalidad Decreciente	Conservación del rendimiento (29-34 años)
		Adaptación compensatoria a la reducción del rendimiento (35-38 años)
41		Readaptación funcional para el rendimiento no competitivo (30-41... años)

Figura II.2 Fases del desarrollo a largo plazo de los deportistas de equipo (basado en Seirul·lo, 1998a, 2004, 2005b).

Temporizada

Esta última característica de la planificación pretende secuenciar todos los eventos que se proponen durante el entrenamiento (Seirul·lo, 2005b). Como muestra la Figura II.3, la organización temporal puede ser referenciada en cuatro niveles que, de modo general, se explicarán en el presente apartado y, en un contexto más específico relacionado con el Entrenamiento Estructurado, serán desarrollados en el apartado II.4.

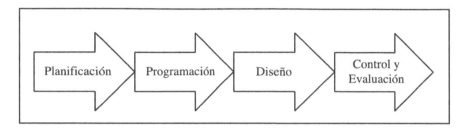

Figura II.3 Secuenciación temporal de la organización de las tareas de entrenamiento.

Las tareas de planificación son las primeras en llevarse a cabo y marcan el establecimiento de una jerarquía y una administración temporal de los objetivos (a corto, medio y largo plazo). Este estadío es un proceso sistémico y continuo que pretende organizar los contenidos de entrenamiento de cada sesión de acuerdo al calendario de competiciones (Seirul·lo y Solé, 2017). Las tareas de periodización pueden ser incluidas en esta categoría, ya que pretenden definir los parámetros estructurales (competiciones, concentraciones, partidos amistosos, etc.) e identificar los elementos del estilo de juego del equipo (Seirul·lo y Solé, 2017). El proceso de ciclización evoluciona desde la periodización y sirve para configurar los diferentes ciclos de cada etapa de entrenamiento (Seirul·lo y Solé, 2017). Como se explicará con mayor detalle en el siguiente apartado, Seirul·lo (2005b) divide la temporada en tres periodos: pretemporada, competitivo y transición. A su vez, cada uno de estos períodos es subdivido en Microciclos Estructurados, que son la principal característica del plan de entrenamiento anual de Seirul·lo.

El segundo nivel corresponde a las tareas de programación, que representan las estrategias de organización del entrenamiento. Estas estrategias incluyen las secuencias conformadoras, que deben ser seleccionadas de acuerdo con las estructuras de los jugadores a optimizar y el estilo de juego deseado para el equipo. La Figura II.4 representa la relación jerárquica entre ellas, que se explicará con mayor profundidad a lo largo de las páginas posteriores. El efecto que se pretende con estas situaciones es optimizar el rendimiento de los subsistemas individuales y grupales, dirigidos hacia la optimización de las prestaciones del equipo (Martín Acero y Lago, 2005a).

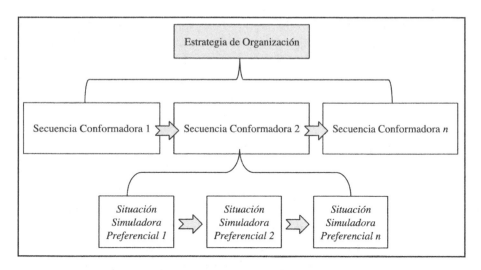

Figura II.4 Relaciones entre las estrategias de organización, secuencias conformadoras y situaciones simuladoras preferenciales en el Entrenamiento Estructurado (basado en Seirul·lo, 2000, 2002, 2005b).

En combinación con las tareas de programación, las tareas de diseño ayudan a implementar las condiciones de entrenamiento semanales y diarias para que los jugadores puedan rendir específicamente dentro del deporte (Seirul·lo, 2005b). Esto incluye la organización temporal (duración total de la sesión, duración de los ejercicios, pausas y recuperación, etc.) y espacial (equipamiento, número de jugadores, grupos, etc.) de la sesión. Los contenidos de entrenamiento se organizan mediante situaciones simuladoras preferenciales (también denominadas situaciones simuladoras potenciales en Seirul·lo, 1993). La manera en que los contenidos se diseñan tendrá un impacto en el tipo de relaciones socio-afectivas que se desarrollarán entre los futbolistas, por lo que es un aspecto esencial que el entrenador debe considerar.

Finalmente, las tareas de control y evaluación se utilizan para retroalimentar el proceso. Aunque estos términos se emplean intercambiados en algunos textos, Seirul·lo (1993) los diferencia. Las tareas de control intentan determinar los efectos que los procesos de entrenamiento tienen en el deportista, al mismo tiempo que pretenden examinar el efecto de cada tipo de entrenamiento en los sistemas funcionales de la persona (Martín Acero y Lago, 2005a). Las tareas de evaluación están más relacionadas con la competición, estudiando cómo se comportan los sistemas del jugador durante la situación de mayor stress: el partido. En un deporte como el fútbol estas tareas requieren una gran dosis de creatividad, para encontrar metodologías apropiadas que permitan obtener datos significativos del entrenamiento y la competición y para, posteriormente, tratar estos datos y que proporcionen evidencias que sirvan para enriquecer todo el proceso.

II.4 EL PROCESO DEL ENTRENAMIENTO ESTRUCTURADO

La interpretación del entrenamiento deportivo por parte de Seirul·lo encontró acomodo en las ciencias de la complejidad, a partir de la visión cognitivista y estructuralista del ser humano que sitúa a la persona en el centro del proceso. Esto genera una aproximación distintiva al fenómeno en relación a los postulados tradicionales defendidos por la teoría general del entrenamiento deportivo. Seirul·lo refuerza el distanciamiento epistemológico con los axiomas clásicos al emplear una terminología diferente para definir sus directrices maestras para el entrenamiento de los deportes de equipo. Las características cerradas, racionales, analíticas, reduccionistas, lineales, competitivas, cuantitativas, homogéneas, maximizadoras, estables, repetitivas y predecibles de los deportes individuales son reemplazadas por los rasgos originales que distinguen a las disciplinas colectivas al ser prácticas abiertas, intuitivas, sintéticas, holísticas, no lineales, cooperativas, cualitativas, heterogéneas, optimizadoras, variables, cambiantes e impredecibles (Seirul·lo, 2000, 2002, 2005b).

En vista de estas grandes diferencias, la extrapolación de los argumentos de entrenamiento de los deportes individuales a los de equipo conlleva múltiples incompatibilidades. Es por esto que Seirul·lo propone una nueva aproximación a los deportes de equipo: el Entrenamiento Estructurado o Microciclo Estructurado. Esta solución fue adoptada después de años de experiencia practicando con deportistas individuales y colectivos, teniendo una amplia aplicación en el fútbol profesional, como el propio Seirul·lo explica (citado en Salebe, 2011):

> *[El proceso de planificación en el fútbol] es muy complejo y complicado porque son entre 65 y 75 partidos al año, y esto supone tener una muy buena organización de todo el proceso de entrenamiento. Es una labor que venimos haciendo desde hace tiempo con lo que llamamos Microciclo Estructurado, que traduce un control del entrenamiento de la semana, y esa semana se relaciona con la anterior y la posterior. De esta manera podemos ajustar mejor las*

cargas, los tiempos de trabajo y la recuperación de acuerdo con las necesidades específicas del partido que viene porque muchas veces entre partido y partido tenemos sólo dos o tres días. De las setenta semanas, estamos más de sesenta en estas condiciones. Es un proceso muy minucioso de control de las cargas para relacionar cada microciclo con el anterior y el siguiente. Hemos venido ajustando el trabajo con la ayuda de todos, después de 15 años en el primer equipo.

Tareas de planificación en el Entrenamiento Estructurado

Con el objetivo de lograr una teoría y práctica cualitativa del entrenamiento en los deportes de equipo, Seirul·lo (1987a, 1998a, 2005b) combinó algunas de las características explicadas en las páginas anteriores. La principal condición del plan de entrenamiento es la microestructuración (Seirul·Lo, 1998a). Bajo esta aproximación, el año es dividido en períodos de acuerdo al calendario de partidos: pretemporada, competición y transición. La semana, Microciclo Estructurado, es la unidad de relación estratégica dentro de estos períodos, ya que el jugador tiene que optimizar sus estructuras para rendir a un nivel adecuado durante uno o dos días dentro de esta referencia semanal (Seirul·lo, 2001). Estos microciclos están interrelacionados por diferentes estrategias de organización y constan de secuencias conformadoras (Seirul·lo, 2005b).

Para lograr interacciones entre la forma deportiva de todos los futbolistas debe haber una propuesta de distribución las cargas para los diferentes períodos de la temporada. Estas cargas de entrenamiento están relacionadas con su similitud con la acción competitiva y pueden ser consideradas como genéricas o específicas (Roca, 2009). Las cargas específicas pueden clasificarse a su vez en generales, dirigidas, especiales o competitivas (Seirul·lo, 1998a), lo cual refleja una cierta similitud con conceptos tradicionales empleados por Bondarchuk (2007). De manera conjunta, estas categorías permiten establecer cinco niveles de aproximación para organizar los contenidos de entrenamiento que deben ser combinados adecuadamente durante la semana para mantener un nivel de forma elevado durante toda la temporada (Solé, 2017; Tous, 2007).

▸ **Genéricas:** Este tipo de actividades son básicas y distantes del deporte. Por ejemplo, una tarea genérica vendría representada por un futbolista realizando una sesión de remo durante la pretemporada para mejorar su resistencia aeróbica. Solé (2017) explica que las tareas genéricas son útiles para acelerar los procesos de recuperación entre actividades intermitentes de alta intensidad, así como para la recuperación entre sesiones de entrenamiento y partidos, al tiempo que ayudan a los jugadores a combatir las demandas físicas que impone un determinado tipo de juego.

▸ **Generales:** Estos contenidos están más relacionados con la competición que los anteriores, aunque están enfocados hacia capacidades físicas aisladas (fuerza, resistencia o velocidad) y no tienen requisitos de toma de decisión, como sucede al realizar series de carrera continua en una pista de atlético o en el campo de fútbol.

▸ **Dirigidas**: Este tercer nivel incorpora elementos coordinativos específicos y procesos decisionales inespecíficos, como sucede cuando un futbolista realiza un circuito técnico sobre el terreno de juego. Los contenidos en esta categoría se relacionan con la ejecución técnica de movimientos y pueden incluso respetar el puesto especifico de los futbolistas.

▸ **Especiales**: En este caso las actividades de entrenamiento tienen una mayor similitud con la competición, incluyendo componentes técnico-táctico específicos que demandan habilidades cognitivas en los futbolistas, buscando la coordinación entre los mecanismos perceptivos, decisionales y ejecutores. Un ejercicio a incluir en esta categoría podría ser una situación de juego reducido de cuatro contra cuatro con tres comodines como jugadores neutros.

▸ **Competitivas**: Este último nivel replica parcialmente los requisitos de la competición, como sucede durante un partido de 11 contra 11 en 3/4 partes del campo en el que el entrenador pretende que los jugadores adquieran determinados principios tácticos. Estas situaciones pueden simular, o incluso contener, episodios competitivos.

Al planificar por microestructuración, las cargas de entrenamiento se administran de manera concentrada (razonamiento similar al descrito por Verkhoshansky, 1990). Esta idea tuvo soporte en los hallazgos previos de Seirul·lo en su trabajo e investigación con atletas en los años setenta, en los que observó cómo los velocistas que concentraban sus cargas manifestaban mayores incrementos en el rendimiento que aquéllos que empleaban una estimulación lineal (Seirul·lo, 1987a). Esta dinámica de las cargas, en términos de volumen e intensidad, no se dirige hacia capacidades físicas de manera aislada sino que privilegia una orientación selectiva hacia un grupo de sistemas, buscando su optimización. Los objetivos del entrenamiento deben centrarse en ajustar la forma deportiva de los jugadores de acuerdo a la importancia de la competición, siempre relacionada con los compañeros y las características de los adversarios. De manera conjunta, esto debería satisfacer las demandas individuales del futbolista en un determinado momento de su vida deportiva, al mismo tiempo que se pretende lograr un proceso de optimización eficiente durante todas sus fases de desarrollo (Seirul·lo, 2005b).

Pretemporada

El objetivo de la período de preparación, que habitualmente dura entre cuatro y seis semanas para los equipos de élite europeos, es acondicionar al futbolista para los primeros partidos de competición oficial. En esta fase los jugadores deben recuperar el hábito de entrenamiento y optimizar su estructura condicional, lo que les permitirá desarrollar el tipo de juego que el entrenador pretende (Seirul·lo, 2014, en Couto, 2019c). Desde el principio, este período se organiza en microciclos semanales con cargas concentradas. Seirul·lo (citado en Cappa, 2007) definió en una entrevista de prensa su visión sobre la organización de la pretemporada:

> *Yo creo que es imposible que, entrenando un mes, se llene, como se pretende, el tanque de un futbolista para toda la temporada, imposible. Y los preparadores tenemos que flagelarnos en esto pues le hemos dado demasiada importancia a la pretemporada. Hacer entrenamientos dobles y triples durante dos semanas no es bueno para los jugadores. Sólo consigues fatigarlos y que lo estén pagando durante los cinco primeros partidos de Liga. Para mí lo correcto es prepararse para el primer partido sólo. Exclusivamente. Y luego para el segundo... y así. No se puede hacer una pretemporada dos semanas seguidas en tres turnos sin tocar el balón. Perjudica y no es útil.*

Seirul·lo (1987a, 1998a, 2005b) define las curvas teóricas de distribución de las cargas de trabajo de los diferentes parámetros para cada uno de los períodos en los que divide la temporada. La Figura II.5 muestra la propuesta de dinámica de la carga de entrenamiento para la pretemporada siguiendo esta metodología. Esta orientación del entrenamiento prioriza la calidad sobre la cantidad y, es por esto, por lo que no hay valores escalares en los ejes x e y de la gráfica, ya que estos valores deben ser ajustados individualmente para cada situación.

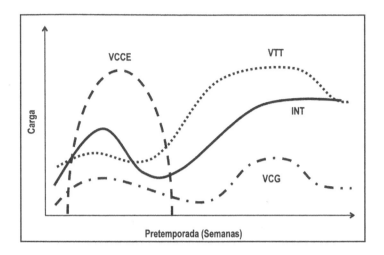

Figura II.5 Dinámica de la carga de entrenamiento durante la pretemporada. VCCE: Volumen Concentrado de Condición Específica; VTT: Volumen de Técnica-Táctica; INT: Intensidad; VCG: Volumen de Cualidad Genérica (basado en Seirul·lo, 1987a, 1998a, 2005b).

Como ilustra la Figura II.5, las primeras semanas de la pretemporada se caracterizan por un predominio del Volumen Concentrado de Condición Específica (VCCE). Este volumen incluye cargas de entrenamiento generales, dirigidas o especiales y, según Seirul·lo (1998a) pueden ocupar el 45-50% de la duración total de la pretemporada. El Volumen de Técnica-Táctica (VTT) adquiere relevancia en la segunda mitad del período y abarca tareas especiales y competitivas. Estas actividades de entrenamiento deben estar centradas en todas las estructuras de los jugadores. En la segunda mitad de la pretemporada es cuando el equipo toma parte de un mayor número de partidos amistosos, en los cuales los jugadores deben verse progresivamente involucrados (Seirul·lo, 2001). El Volumen de Cualidad Genérica (VCG) presenta los valores más bajos durante toda la fase y está por formado por tareas genéricas que se usan para la recuperación, con la intención de amortiguar las cargas más demandantes, o con un propósito de control o evaluación (Seirul·lo, 2005b). Finalmente, la Intensidad (INT) debe aumentar durante los primeros días hasta que el VCCE alcanza su máximo valor y, a partir de aquí, muestra una progresión retardada en relación al VTT. Esta distribución de la carga de entrenamiento debe servir para estimar el comportamiento de las curvas de forma general y específica, de un manera similar a la que se muestra en el gráfico de la Figura II.6.

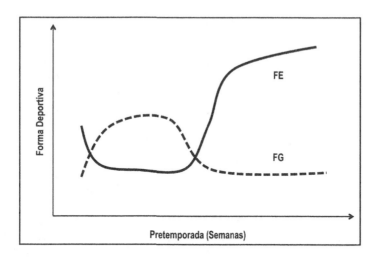

Figura II.6 Representación teórica de la evolución de la Forma General (FG) y la Forma Específica (FE) del futbolista durante la pretemporada (basado en Seirul·lo, 1998a).

Período de competiciones

El período competitivo, que puede llegar a tener una duración de 40 semanas, mantiene la microestructuración como unidad funcional. La organización de la carga de entrenamiento depende del número de partidos de competición disputados en cada semana. A modo de ejemplo, si se compite un Sábado, Seirul·lo (1998a) y Roca (2009) proponen organizar un Bloque de Temporada (BT) dirigido y especial en la primera mitad de la semana, con una doble sesión el Martes y otra sesión el Miércoles por la mañana, tal y como se muestra en la Figura II.7. Cuando el partido de competición se disputa el Domingo, el BT se retrasa y se concentra entre el Miércoles (doble sesión) y Jueves (sesión de mañana). El Volumen Técnico-Táctico (tareas especiales y competitivas) y la curva de Intensidad aumentarían progresivamente durante la semana, alcanzando sus valores máximos en la segunda mitad, mientras que el Volumen de Cualidad Genérica tendrá una mayor predominancia después de los esfuerzos más demandantes (recuperación de la competición previa y después del bloque de entrenamiento concentrado).

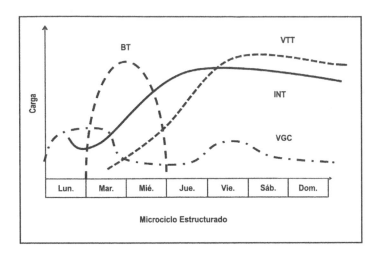

Figura II.7 Dinámica de la carga de entrenamiento del Microciclo Estructurado durante el período competitivo. BT: Bloque de Temporada; VTT: Volumen de Técnica-Táctica; INT: Intensidad; VCG: Volumen de Cualidad Genérica (basado en Seirul·lo, 1987a, 1998a, 2005b).

Este tipo de organización permite la aplicación de cargas específicas durante la semana, facilitando que los futbolistas logren rápidas curvas de adaptación. Las cargas específicas de entrenamiento incluyen principalmente tareas de entrenamiento generales, dirigidas y especiales. No debe de olvidarse que el partido oficial de la semana (competición) es el componente más específico de la carga del microciclo (Seirul·lo, 2005b).

La representación gráfica de la distribución de las cargas de entrenamiento durante la pretemporada y en el Microciclo Estructurado durante el período competitivo (Figuras II.5 y II.7, respectivamente) muestran un patrón muy similar. La mayor diferencia entre ellas se debe a la duración temporal del ciclo de entrenamiento, compartiendo ambas situaciones unos principios comunes de organización. Por ello, mientras la pretemporada busca la optimización del rendimiento de cara al primer partido de competición oficial (al final del periodo preparatorio), el Microciclo Estructurado busca la optimización del rendimiento en el encuentro del fin de semana.

Con la perspectiva de la totalidad de la temporada, el volumen y la intensidad mostrarán siempre curvas ondulantes, sin valores estables (Figura II.8). Respetando esta característica ondulatoria, el volumen de entrenamiento irá progresivamente decreciendo durante la temporada en relación al número de partidos en los que el equipo participe (Seirul·lo, 1998a).

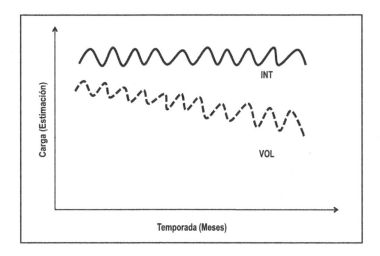

Figura II.8 Evolución de las curvas teóricas de Volumen (VOL) e Intensidad (INT) durante la temporada (basado en Seirul·lo, 1998a).

Período de Transición

Este período conecta dos temporadas consecutivas y, habitualmente, dura entre cuatro y seis semanas. Durante estas semanas los futbolistas pueden utilizar cargas de entrenamiento genéricas (como nadar o montar en bicicleta) que les aleja de los requisitos específicos del fútbol. Los objetivos principales de este período son la recuperación de las demandas globales de la temporada previa y la regeneración de las estructuras corporales estresadas, para poder continuar con los procesos de optimización durante las siguientes fases del entrenamiento.

Organización de los Microciclos Estructurados

Al comienzo de la temporada el entrenador deberá elaborar una visión general de lo que cree que será la temporada, apoyándose en su conocimiento y experiencia. Esto supondrá definir los rasgos estructurales del plan de la temporada, con gráficos apriorísticos y representaciones similares a las mostradas desde la Figura II.4 a la II.7. Seirul·lo (citado en Díaz, 2011) explica que en base a los principios iniciales "se genera un plan general. Otra cuestión son los condicionantes del día a día que te llevan a otra planificación como mucho a dos semanas vista". En la misma entrevista, Seirul·lo hace referencia a las particularidades de planificar la temporada 2011-2012, en la que el FC Barcelona tenía que rendir a su máximo nivel en momentos inusuales de la temporada como la Supercopa de España en Agosto (ya que debía disputarla contra el Real Madrid) o en Diciembre con la participación en el Mundial de Clubs: "Se trata de campañas parecidas a nivel de planificación general, pero con modificaciones casi semanales, pequeños matices en cosas puntuales que estudiamos según se desarrolla la competición".

El Microciclo Estructurado adquiere relevancia bajo el patrón de interacción semanal. Seirul·lo (2005b) establece cinco tipos diferentes de Microciclos Estructurados, cada uno de ellos con una prioridad diferente a la hora de organizar los contenidos de entrenamiento de acuerdo a los objetivos a lograr. Los rasgos de estos diseños semanales, que también son empleados por Roca (2009) y Seirul·lo y Solé (2017), son:

▸ **Microciclo Estructurado Preparatorio**: Característico de la reintroducción al entrenamiento tras el período transitorio, para permitir que el jugador adquiera un nivel de forma general. Está formado principalmente por sesiones genéricas y generales, con una prevalencia del volumen sobre la intensidad.

▸ **Microciclo Estructurado de Transformación Dirigida**: Es una progresión del anterior con predomino de sesiones generales y dirigidas, para permitir alcanzar un nivel de forma específica. El volumen de entrenamiento logra sus mayores valores en este tipo de microciclo.

▸ **Microciclo Estructurado de Transformación Especial**: Estrechamente relacionado con el de Transformación Dirigida, aunque en este caso prevalecen las sesiones especiales para complementar el desarrollo de la forma específica del deportista. La intensidad es elevada durante este tipo de semanas.

▸ **Microciclo Estructurado de Competición**: En este diseño semanal las sesiones especiales y competitivas son las más relevantes. Este microciclo es característico de semanas con dos partidos oficiales. Los contenidos especiales se diseñan en una o dos sesiones consecutivas, en dos días diferentes. La naturaleza de este microciclo es claramente más intensiva que extensiva.

▸ **Microciclo Estructurado de Mantenimiento**: Este es uno de los diseños más habituales durante el período competitivo, con una presencia similar de sesiones dirigidas y especiales y la competición. El volumen y la intensidad se distribuyen de manera uniforme durante la semana.

Una vez que estos cinco tipos de Microciclos Estructurados han sido definidos, el entrenador debe decidir cuándo utilizarlos en el transcurso de la temporada. La pretemporada comienza habitualmente con Microciclos Estructurados de Preparación. El número de estos microciclos depende de las características de los jugadores. Los futbolistas de alto nivel suelen tener un período de transición muy breve (cuatro semanas) por lo que retoman el entrenamiento con una buena forma deportiva. Por otro lado, los futbolistas de menor nivel que han tenido un período transitorio más largo pueden requerir dos o tres semanas preparatorias.

Desde la segunda semana de la pretemporada en adelante se utilizan los Microciclos Estructurados de Transformación Dirigida. Como se explicó con anterioridad, los futbolistas deben alcanzar un nivel elevado de forma deportiva lo antes posible, por lo que cargas de entrenamiento genéricas y generales no pueden ser predominantes durante todas las semanas iniciales. Es por ello que los Microciclos Estructurados de Transformación Especial pueden también emplearse durante la segunda mitad del período preparatorio para ayudar a los jugadores a adquirir una forma deportiva específica.

Los Microciclos Estructurados de Competición y Mantenimiento son característicos del período competitivo. Los Microciclos Estructurados de Mantenimiento predominan durante la fase regular de la competición, ya que permiten mantener un nivel alto de forma deportiva. Así mismo, los Microciclos Estructurados de Competición pueden ser utilizados selectivamente para llevar al equipo a un nivel óptimo de forma deportivos. El acceso a esta plataforma superior del rendimiento se limita a momentos estratégicos de la temporada, como períodos con concentración de partidos importantes, los últimos partidos de una liga, rondas finales de los torneos por eliminatorias, etc.

De manera adicional, los Microciclos Estructurados de Transformación Especial pueden también emplearse durante el período competitivo para ayudar a mantener un nivel elevado de forma deportiva. Por otra parte, los Microciclos Estructurados de Transformación Dirigida se pueden diseñar durante fases con una menor densidad de partidos o en períodos donde parte del equipo este ausente, como sucede en categorías profesionales cuando hay una interrupción en la competición por partidos de las selecciones nacionales.

Tareas de Programación en el Entrenamiento Estructurado

Este es, probablemente, uno de los apartados más importantes para comprender las singularidades de la metodología de entrenamiento de Seirul·lo y hace referencia a las condiciones para diseñar los sistemas de entrenamiento y las sesiones (Seirul·lo, 1998a). La directriz que guía el proceso debe ser el análisis de la competición desde el punto de vista del deportista. Esta es una diferencia crítica con otras concepciones tradicionales del entrenamiento donde el análisis de la competición se centraba en el resultado final. En el contexto actual, es esencial respetar lo que sucede dentro de la persona, cómo entiende el episodio competitivo. Por ello, la competición afecta a todas las estructuras del futbolista y no sólo a algunas de ellas de manera aislada (por ejemplo, la condicional como se ha argumentado en innumerables ocasiones).

El entrenador debe tener un profundo conocimiento del juego para detectar y extraer desde la competición situaciones potenciales de aprendizaje para los futbolistas. Además, tiene que respetar la filosofía de juego del equipo, lo que influye en el tipo de experiencias a presentar a los futbolistas. Incluso, el jugador puede estar involucrado en este proceso ayudando a seleccionar y diseñar problemas y retos a los que se enfrenta frecuentemente en el deporte (Seirul·lo, 2002). Por ello, todas las propuestas de entrenamiento deben estar basadas en las necesidades del futbolista mientras juega (Seirul·lo, 2001). Cada una de estas situaciones estará caracterizada por la presencia de diversos elementos conformadores, que deben solicitar la interacción entre distintas estructuras y sistemas de los futbolistas (Seirul·lo, 2002). No todas las actividades relacionadas con el juego tendrán el mismo impacto sobre los jugadores, ya que cada una de las situaciones anteriormente mencionadas dependerá de cómo el futbolista autoconfigura sus estructuras.

Como consecuencia de la interpretación de la competición por parte del jugador y del técnico, el entrenamiento deberá buscar la reproducción parcial de algunas de las condiciones que configuran el escenario real de juego. La disminución de la distancia entre el entrenamiento y la competición facilitará el logro de nuevos niveles de autoorganización. Para poder satisfacer este objetivo el entrenador, en armonía con su cuerpo técnico, debe desarrollar la estrategia de organización de los elementos de entrenamiento (Seirul·lo, 2005b).

La introducción por parte de Seirul·lo de una nueva nomenclatura de entrenamiento acentúa la originalidad de su aproximación, mostrando una confluencia ideológica con autores como Edgar Morin (1994), que usa el término estrategia en contraposición al de programa. Un programa es una secuencia de acciones predeterminadas que, bajo circunstancias conocidas, permite lograr los objetivos pretendidos. Por ello, todo lo que se incluye en un programa funciona con automatismos. El uso del término programa de entrenamiento se ha extendido ampliamente en los procesos de aprendizaje y entrenamiento deportivo. En cualquier caso, debería resaltarse que se ha identificado tradicionalmente con la creación de un camino cerrado en el que se posiciona al deportista y se le lleva desde un punto de partida conocido a otro final previamente determinado. Esta vía oclusiva busca la generación de condiciones estables, de modo que cada deportista que siga el mimo programa acabará alcanzando el mismo estado final. Bajo el paradigma clásico, el entrenamiento sigue esta secuencia lineal con una progresiva aplicación de las cargas de trabajo en la búsqueda de un efecto de maximización, utilizando los modelos establecidos como referencias para guiar el proceso y con los que comparar los resultados obtenidos.

El concepto de estrategia es mucho más rico y permite ser aplicado a entornos inestables. Una estrategia no es tan rígida como un programa y requiere de una mayor plasticidad, tomando en consideración todo tipo de elementos externos. La filosofía de Seirul·lo no se basa en certezas, ya que no podemos determinar exactamente las condiciones iniciales de un futbolista en el momento que le aplicamos un entrenamiento. Adicionalmente, no podemos ser precisos sobre cómo será la configuración final del futbolista. Por esta razón Seirul·lo (2005b) prefiere emplear el concepto de "estrategias de organización" en lugar de "programa de entrenamiento". Las estrategias organizativas pretenden proporcionar propuestas cualitativas de entrenamiento al futbolista, que le ayuden a la optimización de sus sistemas y estructuras, al mismo tiempo de ser específicas para el fútbol, puesto que estas microsituaciones que se extraen de la competición replican ciertas condiciones del juego.

Las estrategias de organización son abiertas y contienen los criterios básicos para organizar temporalmente las secuencias conformadoras (Seirul·lo, 2005b). Cada estrategia puede combinar diferentes secuencias con su propio orden de aplicación. Las estrategias deben buscar una dirección preferencial, es decir, la optimización de un sistema determinado, idealmente bajo una funcionalidad sinérgica intersistémica (Seirul·lo, 2005b). El entrenador debe validar cada una de las estrategias de acuerdo a los requisitos de la competición, dándoles una terminología específica y buscando la optimización a través de la variación. Siguiendo a Seirul·lo y Solé (2017), estas estrategias permiten la interacción entre el deportista y el entorno en tres niveles diferentes:

‣ **Nivel proximal:** Para resolver las necesidades que un equipo tiene en una determinada situación.

‣ **Nivel intermedio:** Para ajustar las posibles alternativas ante lo que el equipo adversario puede presentar en el siguiente partido.

‣ **Nivel final:** Para generar ajustes a largo plazo que se piensa serán exigidos en encuentros futuros, cuando un estilo de juego diferente podría ser necesario.

Como el fútbol tiene una elevada complejidad, el entrenamiento no pueden estar fundamentado en modelos de validez universal. Es por esto por lo que Seirul·lo sustituye los principios clásicos de aplicación transversal en todos los deportes por una serie de conjeturas sistémicas. Sólo en el caso de que estas conjeturas fuesen ciertas podríamos hablar de principios válidos. Todas las estrategias organizativas deben respetar algunas de las siguientes conjeturas identificadas por Seirul·lo y Solé (2017):

‣ **Eficiencia sincrónica:** La cantidad de tiempo que una o un grupo de secuencias conformadoras aseguran un efecto optimizador en los mismos jugadores.

‣ **Conformación intersistémica:** Para alcanzar la optimización simultánea en más de un sistema de una o más estructuras.

‣ **Utilidad y eficiencia temporal:** Para determinar cuánto tiempo será necesario en una sesión para optimizar un determinado sistema de una estructura.

‣ **Hologrametría:** La totalidad de las unidades de entrenamiento deben contener todos los atributos del tipo de juego que se pretende optimizar durante el entrenamiento.

‣ **Sinergética:** Diferentes combinaciones de los contenidos de las secuencias conformadoras deben practicarse para encontrar efectos sinérgicos entre ellas.

‣ **Idoneidad:** Las situaciones simuladores preferenciales deben respetar los comportamientos interactivos que queremos que nuestro equipo manifieste en el juego.

‣ **Recursividad:** Debe haber una relación circular e interacción sincrónica entre calidad y especificidad en todas las situaciones diseñadas en las sesiones.

Las secuencias conformadoras representan las circunstancias prácticas que el futbolista debe experimentar (Seirul·lo, 2005b). El término conformador refleja un efecto configurador y, por ello, estas secuencias conformadoras o configuradoras involucran a distintos sistemas de una estructura o el desarrollo de relaciones entre distintas estructuras del futbolista. Las características de las secuencias conformadoras están determinadas por la combinación de situaciones simuladoras preferenciales, que serán explicadas en mayor detalle a lo largo de las siguientes páginas.

Cada unidad de entrenamiento contiene una sucesión de secuencias conformadoras (Seirul·lo y Solé, 2017) que son especificas para los deportes equipo y equivalentes a lo que la teoría general del entrenamiento denomina "sistemas" y/o "métodos" (Seirul·lo, 2005b). Estos sistemas y/o métodos tradicionales de entrenamiento representan recetas cerradas, ya que fueron diseñadas para ser aplicadas en deportistas cuyas condiciones iniciales se conocían de antemano y se le asignaban propiedades fijas a los elementos (Seirul·lo, 2005b). Por ejemplos, si un futbolista tiene un consumo máximo de Oxígeno de 55 ml/kg/min y queremos que aumente dicho valor, podemos recomendarle que emplee un método interválico o intermitente para mejorar su potencia aeróbica. La fundamentación de las secuencias conformadoras es la opuesta ya que, en lugar de estar cimentadas en parámetros estrictos y enfocadas hacia un único sistema o estructura, incentivan la variabilidad en el comportamiento (Seirul·lo, 2005b). Por ello, representan una combinación de los contenidos de entrenamiento que conforman algunas de las estructuras del futbolista (condicional, coordinativa, cognitiva, etc.) para lograr la emergencia de una autoorganización diferenciada. Adicionalmente, siempre deben respetar el estilo de juego del equipo.

Las propiedades abiertas de las estrategias de organización se logran por la combinación de los elementos prefijados y postfijados (Seirul·lo, 2005b). Los elementos prefijados, que como su propio nombre indica representan el lado fijo de la estrategia, son secuencias de elementos que se han mostrado previamente efectivos en distintos tipos de futbolistas y circunstancias, es decir, elementos que se relacionan con la práctica del fútbol. Por otro lado, los elementos postfijados son variables y se introducen después de examinar el resultado de las situaciones prefijadas. Una vez que el futbolista ha completado la secuencia, el entrenador debe verificar qué ha sucedido y ajustar las condiciones para crear variaciones en la práctica de acuerdo a las necesidades actuales del jugador. La inclusión de elementos postfijados crea nuevos intercambios energéticos entre el futbolista y el entorno, alterando las condiciones estables por lo que el jugador debe estar continuamente reorganizándose para solventar la situación (Seirul·lo, 2005b). Este es un mecanismo de retroalimentación que asegura que las estrategias organizativas estén optimizando (y no maximizando) preferencialmente el sistema esperado, permitiendo los ajustes individuales del futbolista a la situación y asegurando diferentes patrones de interacción (Arjol, 2012; Seirul·lo, 2005b).

El entrenador puede diseñar múltiples variaciones de estas secuencias de acuerdo con las características del futbolista y el estilo de juego del equipo. Esto creará una unidad estratégica y, como se indicaba anteriormente, podría contener secuencias prefijadas, que se han identificado previamente como válidas y apropiadas para un determinado jugador y equipo, y secuencias postfijadas, adecuadas para las condiciones inestables de cada futbolista (Seirul·lo, 2005b).

Arjol (2012) afirma que no habrá progresiones en las secuencias sino variaciones en los elementos que las forman. Esto significa que cada jugador usará sus sistemas de una manera diferente y esta interacción le permitirá alcanzar nuevos niveles de autoorganización. Las secuencias conformadoras deberán ser cambiadas en cada sesión de entrenamiento y no ser repetidas más de dos o tres veces bajo idénticas circunstancias, ya que las situaciones nunca acontecerán de la misma manera en la competición (Arjol, 2012). Esto se puede lograr utilizando los elementos postfijados. De manera complementaria, habrá un número infinito de combinaciones de los elementos, pero sólo aquéllos relacionados con las necesidades del jugador y el estilo de juego del equipo serán seleccionadas por el entrenador para ser usados durante el entrenamiento (Arjol, 2012). Además, Seirul·lo (2005b) establece una serie de normas de organización que deben ser respetadas a la hora de programar las secuencias conformadoras:

▸ No se puede repetir la misma secuencia en un microciclo.

▸ Una idéntica secuencia preferencial enfocada a la resistencia no puede repetirse más de tres veces en una temporada.

▸ Una idéntica secuencia preferencial enfocada a la fuerza no puede repetirse más de dos veces en una temporada.

▸ Secuencias casi idénticas sólo pueden repetirse con una separación de cinco microciclos, siempre y cuando su objetivo lo permita.

▸ Los primeros días del microciclo se dirigen preferencialmente a las estructuras condicional y coordinativa, mientras que los últimos días a las estructuras coordinativa y cognitiva, siempre respetando el compromiso intersistémico entre las estructuras.

▸ El microciclo debe respetar una distribución ondulante de la carga, con un descenso dinámico en el caso de disputar un partido complicado al final de la semana. En el caso del que el equipo juegue un partido fácil en el fin de semana, la carga puede mostrar una tendencia en aumento durante el microciclo.

Seirul·lo (2005b) define un criterio adicional para clasificar las secuencias: dispersas y concretas. Las secuencias dispersas son aquellas que se practican con mayor frecuencia durante la temporada, ya que contienen elemento variables que requieren la interacción de diferentes sistemas. En el otro lado, las secuencias concretas -menos variables- se emplean esporádicamente durante el año, como sucede al volver a entrenar tras una lesión o para lograr un nivel determinado de forma.

Tareas de diseño en el Entrenamiento Estructurado

Después de establecer las estrategias de organización y las secuencias conformadoras, el siguiente paso para el entrenador es diseñar las situaciones simuladoras preferenciales (Seirul·lo, 2000). Estas situaciones son la esencia del entrenamiento y representan lo que tradicionalmente se ha conocido como "tareas de entrenamiento o ejercicios" (Seirul·lo, 2005b). La originalidad de las situaciones simuladoras preferenciales radica en que se basan en comportamientos no lineales, tratando de crear un entorno que determine una acción preferencial de uno de los sistemas del futbolista hacia la "autoconformación diferenciada" (Seirul·lo, 2002). Por ende, no se trata sólo de crear un ejercicio determinado (por ejemplo, saltar cinco vallas en línea recta) sino de diseñar situaciones que faciliten un gran nivel de interacción entre la mayoría de las estructuras del futbolista (condicional, coordinativa, cognitiva, socio-afectiva, emotivo-volitiva, etc.). Para diseñar estas situaciones, Tarragó *et al.* (2019) matizan:

> *Se trata de generar acontecimientos y conjuntos de situaciones que predispongan a un estado de acción y respuesta en un entorno creado que invite a la imitación de comportamientos que serán simuladoras del juego-deporte, y que incidan, de forma preferencial, en los diferentes sistemas según la intención de la tarea, dirigida por medios de reglas, espacios y número de jugadores participantes. Estas situaciones se definirán y se extraerán del análisis e interpretación del juego real entre el entrenador y cada jugador.*

Seirul·lo (2002) establece los siguientes criterios que deben ser respetados al diseñar las situaciones simuladoras preferenciales:

▸ Las tareas deben requerir la participación de diferentes sistemas que configuran la estructura hipercompleja que es el futbolista.

▸ Cada jugador, de acuerdo con su nivel de autoestructuración, tendrá un uso preferencial de determinados sistemas para intervenir en el escenario del juego.

▸ Cuando la práctica contiene los elementos requeridos, pueden emerger nuevos niveles de autoorganización.

Estas situaciones variables privilegian la simulación de un componente del juego por la manera en que los elementos (compañeros, adversarios, espacio, tiempo) se organizan durante la actividad (Massafret, 2017). Esta distribución permite que los jugadores experimenten distintos niveles de aproximación a la complejidad del juego, de acuerdo con los objetivos de la sesión. Massafret (2017) distingue cuatro niveles de situaciones simuladoras preferenciales, que se categorizan de acuerdo al número de capacidades requeridas durante la práctica y, de menor a mayor demandas y proyección al juego real, son:

▸ **Situaciones simuladoras preferenciales coordinativas con soporte coordinativo:** Representan los movimientos específicos dentro de un deporte (técnica individual), es decir, los patrones motores esenciales para practicar el fútbol.

▸ **Situaciones simuladoras preferenciales coordinativas con soporte cognitivo estructurado:** Con una mayor participación de las capacidades cognitivas y las habilidades involucradas en el proceso de toma de decisión. Incluye los conceptos de táctica individual con variación en el número de jugadores (compañeros y adversarios).

▸ **Situaciones simuladoras preferenciales coordinativas con soporte cognitivo abierto:** Más relacionadas con el juego real, para proyectar el movimiento específico deportivo en el fútbol.

▸ **Situaciones simuladoras preferenciales coordinativas con soporte cognitivo complejo:** En este nivel superior, la técnica individual del jugador se práctica en un escenario competitivo, jugando con intención.

Seirul·lo (2005b) enfatiza que la concatenación de situaciones simuladoras preferenciales nunca debe estar basada en progresiones lineales. De hacerlo así, el futbolista experimentará disminuciones en su rendimiento, ya que podrían bloquear su proceso de optimización. Por ello, se deben implementar situaciones altamente variables y dinámicas que den lugar a inestabilidades en el sistema. Cuando al futbolista se le proponen estas situaciones abiertas debe autoorganizarse, relacionando todas sus estructuras y aumentando la calidad de su proceso conformador. Es esencial incluir elementos variables en el entrenamiento, tal y como el propio Seirul·lo explica:

> *En el Barça nuestros entrenamientos están basados en el cambio. Nunca hacemos dos entrenamientos iguales, que tengan la misma intensidad o el mismo objetivo. Al tercero igual, los jugadores pasan. No sirve de nada. Los hábitos generan estabilidad inicial pero acaban por destruir. Los jugadores, para adaptarse al nuevo entrenamiento, sacan la energía que tenían aparcada y el equipo se beneficia de eso (…) Los jugadores pierden interés si hay mucha repetición. De los entrenadores que he tenido en el Barça los que mejor han manejado este aspecto han sido los que mejores resultados han tenido. (Seirul·lo, citado en Cappa, 2007)*

> *Nosotros intentamos que haya elementos específicos del juego repetidos en variación. Porque si yo siempre hago lo mismo contra ti, igual a la tercera me pillas el truco. ¿Qué debemos hacer y entrenar? Debemos construir situaciones de juego en las que la repetición automática no tenga valor. Debemos reducir los "automatismos" del juego. Porque, si automatizamos el juego, entonces nunca me ganarás: en diez segundos puedo descubrir cuáles son tus automatismos. Lo que debemos trabajar, aunque primero hemos de descubrirlas, son las interacciones eficientes que existen entre los jugadores. No es otro vocabulario, sino otro concepto. (Seirul·lo, citado en Perarnau, 2016)*

Incluso la parte inicial de la sesión de entrenamiento debe evitar la repetición de contenidos, tal y como Seirul·lo argumentaba en el año 2000:

> *Yo estoy convencido (no ha habido ningún trabajo sobre esto) que si todos los días calentamos de la misma manera y el mismo tiempo (mismos ejercicios y orden) al final de los diez días están más fríos de lo que hemos empezado (fisiológicamente incluso).*

Además, las situaciones simuladoras preferenciales deben organizarse para ayudar al futbolista a comprender los eventos del juego, identificando aquellos elementos que están en la misma esfera del estilo de juego del equipo. Es por ello que Arjol (2012) da crédito a la participación de los jugadores en su definición, puesto que cuando el futbolista los reconoce en el entrenamiento, las situaciones se vuelven más significativas para él.

> *Nosotros tenemos unas "tareas prescritas" que llamamos, que son tareas que tienen que ver con la utilización del pase como medio de comunicación. Entonces, prescribimos unas determinadas condiciones de realización de esas tareas y a otras que no están prescritas, las llamamos "tareas adaptativas", que son aquellas que las hacemos para que la dimensión de nuestro juego esté presente. Nosotros no hacemos, como te decía antes, ninguna tarea que sea exclusivamente física, "ahora vamos a correr 20 minutos para mejorar el VO_2 máximo", ¡nunca!. "Vamos a hacer chutes a portería desde distintas áreas..." o "vamos a hacer centros para remates de cabeza"¡no! Todo eso lo trabajamos integrado en elementos del juego, en los que todas las dimensiones están puestas en ese juego. (Seirul·lo, 2014, citado en Couto, 2019c)*

Una de las situaciones de entrenamiento más características del FC Barcelona es el rondo, donde los futbolistas que ocupan los espacios exteriores de un cuadrado se pasan el balón mientras que los jugadores que están dentro tratan de interceptarlo. Cruyff (citado en Suárez, 2012) expone las reticencias iniciales que encontró al aplicar este tipo de contenido de entrenamiento, "sé que mucha gente se reía de los rondos, pero el rondo es la base del fútbol: velocidad, toque, espacios cortos..." El rondo es una clásica imagen visual de las sesiones del FC Barcelona, pero también puede identificarse dentro de su estilo de juego, mostrando una gran transferencia entre el entrenamiento y la competición. El antiguo director metodológico de la cantera del FC Barcelona, Joan Vila (2012), justificaba su utilización al argumentar:

> *El rondo ha estado en el Barça desde los años setenta, aunque fue perfeccionado por Cruyff. En los rondos y juegos de posición tenemos todos los componentes que debe tener el entrenamiento: velocidad en el juego combinativo, aspectos cognitivos del juego (con y sin el balón), ocupación racional del espacio, conceptos individuales y colectivos y control de la carga física.*

De hecho, fue probablemente Laureano Ruiz quien introdujo los rondos en el FC Barcelona, ya que privilegiaban la velocidad de reacción, la técnica y la inteligencia para aprender y comprender el juego (Perarnau, 2011). Los rondos son una plataforma para aprender a jugar velozmente con pocos toques y, por ello, no es extraño que Guardiola los llevase consigo al Bayern de Múnich, tal y como Torrent (citado en Perarnau, 2016) explica:

> *Los jugadores entendían los rondos como algo lúdico, pero para Pep tienen una importancia básica y se les hizo comprender de inmediato. La esencia del cambio del Bayern con Guardiola se resume en los rondos, en cómo los acabaron entendiendo los jugadores. Para ellos se trataba sólo de un ejercicio para empezar o terminar el calentamiento, sólo un divertimento en el que la pelota podía salir diez metros fuera del perímetro mientras no tocase el suelo. Pero desde el primer día Pep les explicó lo importante que es cómo se colocaban, cómo recibían el balón, si el control era con la pierna derecha o la izquierda. Pep tiene claro que el rondo permite mejorar al jugador, le permite perfilarse correctamente, recepcionar bien, es la esencia para no perder la pelota y jugar más rápido. Los jugadores entendieron muy pronto que aquello tenía un sentido y una lógica y lo procesaron de inmediato. Un día estuvimos comparando los rondos de los primeros entrenamientos y los del final, y es un espectáculo. No tienen nada que ver. Al final, la pelota volaba.*

Las situaciones simuladoras preferenciales en el FC Barcelona están basadas en los fundamentos previos: posición, movimiento, precisión, posesión, velocidad, presión, etc., que se plasman incluso en las categorías inferiores, como Andrés Iniesta (citado en Suárez, 2009) enfatiza: "Desde entonces [cuando con 12 años ingresó en el FC Barcelona], todo ha sido con balón, con la misma línea de entrenamiento en el alevín, cadete o juvenil. Subes de categoría pero conservas el juego". En consecuencia, las situaciones simuladoras preferenciales deben replicar parcialmente algunas de las características del juego a modo de fractal, favoreciendo la ocurrencia de comportamientos esperados sin reducir excesivamente la complejidad intrínseca del fútbol (Cano, 2012). De nuevo, Vila (2012) aporta más luz sobre este tema al decir:

> *Nunca ha habido un trabajo físico específico, nunca [en el fútbol base del FC Barcelona]. Sólo cuando el jugador tiene más de 16 años los juegos con el balón emplean espacios más amplios para desarrollar la potencia y resistencia. Cuando son menores de 16 no es necesario.*

Uno de los grandes futbolistas de la década pasada, Xavi Hernández, alabó esta concepción del entrenamiento al argumentar lo siguiente en una entrevista de prensa (citado en Suárez, 2009):

> *Eso es Can Barça: rondos, conservaciones infinitas de balón... Esos conceptos nos los enseñaba Joan Vila. Son ejercicios que ya no hacemos en el primer equipo, porque hay jugadores que no se han criado aquí. No es lo mismo un rondo con Iniesta o conmigo, incluso con Oleguer cuando estaba, que con los brasileños, que pisan la pelota. Recuerdo, por ejemplo, que Ronaldinho no le imprimía la misma velocidad. Con nosotros, los de casa, el balón ni lo ves. Una maravilla. A veces, Rexach estaba de espaldas y nos gritaba "¡bien, bien!". "¡Pero si no lo ha visto!", decíamos. "Pero escucho el balón y sé que va bien", contestaba. Lo sabía por el toque, por el sonido.*

Los juegos de posición representan un nivel superior de aproximación a la complejidad del fútbol. Estas situaciones replican algunos de los componentes del juego real para favorecer la asimilación de elementos tácticos esenciales de una idea de juego. Torrent (citado en Perarnau, 2016) explica cómo Guardiola introdujo los juegos de posición en el Bayern:

> *Sí, no los habían practicado nunca. Desconocían el sentido de los juegos de posición. Para Pep y para la escuela del Barça es una costumbre, pero en Múnich creían al principio que era un juego para mantener la pelota. ¡No! ¡Es un juego de posición, no de posesión! Un juego para saber cómo debes colocarte y perfilarte cuando tienes la pelota y dónde debes ir a presionar cuando no la tienes. Es un ejercicio eminentemente táctico, pero con un componente físico. (...) Es un ejercicio muy completo, que es esencial para Pep porque le da velocidad y sentido al juego. Los jugadores comprendieron pronto que no se trata de conservar la pelota, sino de cómo debían jugarla y cómo debía perfilarse cada uno de ellos.*

La Figura II.9 muestra una de las situaciones de entrenamiento que puede utilizarse para lograr un buen juego de posición. La tarea es un ejercicio de mantenimiento clásico de siete contra siete futbolistas donde además hay tres jugadores que intervienen como comodines (en color negro) para dar apoyo al equipo que tiene la posesión del balón. La mayoría de los entrenadores se reconocerán a sí mismos en el empleo de este tipo de tareas al ser un contenido frecuente en el entrenamiento.

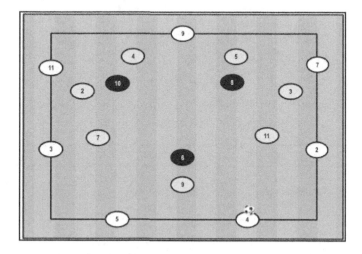

Figura II.9 Ejemplo de una situación simuladora preferencial: juego de posición 7v7 +3.

Sin embargo, si nos fijamos con mayor detalle en la Figura II.9 podemos apreciar que los jugadores no están colocados aleatoriamente en el espacio, ya que existe una orientación en la tarea y cada uno de los futbolistas tiene una determinada área de influencia. Es decir, los jugadores deben respetar su puesto específico y mantener unas referencias posicionales para privilegiar una serie de interacciones selectivas con sus compañeros de acuerdo a su ubicación. Cuando el equipo dispone de la posesión del balón, los jugadores tienen que abrir el espacio hacia las líneas exteriores para dificultar la acción defensiva rival. La adecuada organización espacial de los futbolista cuando disponen de la posesión de balón permite generar múltiples líneas de pases con los jugadores que actúan como comodines. De esta manera, tal y como la Figura II.10 ejemplifica, puede emerger una matriz de juego muy similar a aquella esencial para el estilo de juego del FC Barcelona en su posicionamiento de base dentro del sistema 1-4-3-3. Por otro lado, cuando el equipo pierde la posesión del balón, deben cambiar de mentalidad inmediatamente y esforzarse por recuperar la pelota tan pronto como sea posible, mientras el otro equipo invertir su rol durante la tarea.

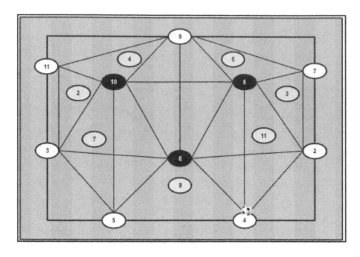

Figura II.10 Líneas de pase en una situación simuladora preferencial (juego de posición 7v7 con 3 comodines).

Este tipo de situaciones simuladoras preferenciales contribuyen a desarrollar y comprender comportamientos interpersonales fundamentales, como el hombre libre o el tercer hombre. Xavi Hernández (citado en Perarnau, 2011) proporciona una detallada explicación de lo que significan estos conceptos y su importancia cuando se pretende salir jugando desde atrás en el fútbol:

El hombre libre significa que siempre debes buscar la superioridad, por más que el fútbol sea un deporte de 11 contra 11. Hay días que buscamos esa superioridad a partir de Víctor Valdés y eso aún tiene más mérito. A veces, los rivales nos aprietan tan arriba, y de manera tan intensa, que hacemos el tres contra dos incluso dentro del área con Valdés, Piqué, Busi o yo. Y, a partir de ese punto, ya puedes atacar con superioridad. Buscar el hombre libre es, por ejemplo, que los centrales tengan el balón y uno de ellos siempre quede libre porque siempre tienes un defensa más que delanteros contrarios. En ese caso, Puyol sube, sube y sube hasta que le sale al paso un rival. Si quien le intenta frenar es mi marcador, entonces el hombre libre paso a ser yo. Si le sale al paso el marcador de Iniesta, entonces Andrés pasa a ser el hombre libre. Y así buscamos la superioridad en cualquier zona del campo. Haces un tres contra dos, lo ganas y ya tienes el hombre libre. Avanzamos posiciones.

El tercer hombre es imposible de defender; imposible... Te explico lo que sig-
nifica. Imagina a Piqué queriendo jugar conmigo, pero yo estoy marcado,
tengo a un marcador encima, un tío muy pesado. Bien, pues está claro que
Piqué no puede pasármela, es evidente, con lo que yo me aparto y me llevo al
marcador conmigo. Entonces, Messi baja y pasa a ser el segundo hombre.
Piqué es el primer hombre, Messi el segundo y yo, el tercero. Yo tengo que
estar muy al loro, eh. Piqué, entonces, juega con el segundo hombre, con
Messi, que le devuelve el balón y, en ese momento, aparezco yo, dejo clavado a
mi marcador, que se ha despistado, y Piqué me pasa la pelota totalmente des-
marcado. Si el que me defiende está mirando el balón no puede ver que me
desmarco: entonces, aparezco y soy el tercer hombre. Ya hemos conseguido la
superioridad. Esto es indefendible, es la escuela holandesa, es Cruyff. Es una
evolución de los triángulos holandeses.

La filosofía de juego del equipo debe respetarse al diseñar las situaciones simuladoras preferenciales e incluso pueden manifestar diferencias culturales con otros
estilos de juego. Por ejemplo, después de ser preguntado antes de la final de la Liga
de Campeones del año 2009 si los equipos ingleses eran más fuertes físicamente
que el FC Barcelona, Seirul·lo contestó (citado en Gómez, 2009):

Por cultura, hacen un fútbol directo. Es más vistoso porque se juega en el
área. Los traslados son rápidos y parece que hay mucha intensidad, pero es
engañoso. Contra el Barça, los equipos ingleses han corrido detrás del balón;
eso no es jugar al fútbol. Al fútbol se juega con un balón, en realidad, juega el
que tiene el balón. El otro corre.

Esta idea de entrenar el juego basado en el juego en sí mismo es característico
de FC Barcelona e incluso jugadores del máximo nivel, que han seguido modelos
tradicionales de entrenamiento, pueden experimentar complicaciones cuando se
adentran en él. A modo de ejemplo, Lilian Thuram, campeón del Mundo con Francia en 1998 y finalista en 2006, se refería a esto en una entrevista (citado en Morenilla, 2013):

Cuando llegué al Barça a los 34 años, que para mí era increíble porque era
viejo, y vi cómo jugaban, me pregunté: "¿Qué cosa hacía yo antes?". Me
pareció el verdadero juego del fútbol. Ahora puedo decir que me he sentido un
verdadero jugador por haber estado en el Barcelona. Fue un pecado no haber

llegado más joven, porque con 34 años estaba muy condicionado después de diez temporadas en Italia. Sobre todo para un defensa, era muy difícil cambiar a esa edad.

Esta diferente concepción futbolista también fue resaltada por otro campeón del Mundo, Gianluca Zambrotta, que comentaba irónicamente que cuando fichó por el FC Barcelona estaba siempre dentro del rondo e incluso Víctor Valdés, el portero en aquella época, era mejor que él jugando el balón con los pies (Domenech, 2013). El antiguo director de fútbol del FC Barcelona, Andoni Zubizarreta, también reflexionaba sobre el proceso de adaptación de Javier Mascherano (citado en Perarnau, 2011):

Decía Mascherano cuando vino, a las dos semanas de entrenarse aquí, que debía volver a aprender todo lo que sabía de fútbol. Que, hasta ahora, él creía que apoyar a un compañero significaba acercarse y ahora veía que apoyar a un compañero implicaba alejarse del balón. Claro, eso dicho así, de repente, es todo lo contrario a lo aprendido. Tienes que aprender de nuevo el fútbol.

Seydou Keita, jugador internacional con la selección de Mali, también reflejaba la dificultad para adaptarse, en palabras de Vila (2012), "Después de estar trabajando una semana en el FC Barcelona fue al despacho de Guardiola y le dijo '¡No puedo jugar de esta manera! ¡No veo el balón!" El propio Vila (2012) también hace referencia a Eric Abidal, que mostró una gran humildad y trabajó muy duro durante dos o tres meses para integrarse en la identidad de juego del equipo. Lorenzo Buenaventura (citado en Perarnau, 2014) aporta pistas para comprender porqué sucede esto:

A pesar de la edad hay aspectos en que puedes mejorar. El técnico es uno de ellos. Muchas veces lo he hablado con Paco Seirul·lo. A los jugadores que han llegado al Barça, dada la metodología tan especial que tiene, les cuesta mucho adaptarse. Recuerdo los primeros entrenamientos de David Villa. A pesar de que es un tío rápido, dinámico, y que conocía a ocho o nueve compañeros de la selección, le costó mucho coger la dinámica. Los jugadores tienen capacidad de mejorar la técnica y sentido táctico a pesar de tener 30 años, eso es indudable.

El entrenador necesita desarrollar una habilidad especial para diseñar contextos específicos de entrenamiento para cada deportista y equipo. El futbolista debe jugar en consonancia con las necesidades de su equipo y no de acuerdo a sus requisitos individuales, debiendo aportar al juego del equipo aquellos elementos en los que él es notable (Seirul·lo, 2014, en Couto, 2019c). Esta habilidad para comprender el juego y el diálogo jugador-equipo es una de las grandes virtudes de Seirul·lo, según Lillo (citado en Perarnau, 2016):

> *Paco [Seirul·lo] no solo es un gran constructor de circuitos y metodología, sino también de juego. Juntos hemos construido muchísimas situations simuladoras preferenciales con las que mejorar la capacidad conceptual del jugador, pero desde una perspectiva más cultural. El carácter didáctico de Paco ha sido importantísimo para buscar vehículos que permitan a los jugadores entender lo que proponemos.*

El paisaje que componen los distintos escenarios de entrenamiento debe abarcar siempre todas las estructuras del deportista. Es por ello que, en el fútbol moderno, no debe dejarse de lado al componente emocional ya que juega un papel crítico, tal y como Guardiola explicaba en una conferencia en Colombia en el año 2013:

> *Lo que he aprendido de mis últimos jugadores durante los cuatro años ha sido que el entrenamiento empezaba a las once y el entrenador llegaba a las once menos cinco para decirles: "Chicos, hoy vamos a hacer esto, esto, esto y lo otro". A las once menos cuarto, once menos veinte, ellos salían fuera por su cuenta, cogían un balón y se lo pasaban entre ellos. No subían montañas ni iban al gimnasio, ¡no! O crees que la razón por la que ganaron todo cuatro años, después de haber ganado todo dos años, de haber vuelto a ganar todo ¿es posible sin divertirse? Es imposible.*

La característica del Microciclo Estructurado se alcanza cuando las situaciones simuladoras preferenciales configuran un escenario común, guardando una relación con el anterior y posterior microciclo (Seirul·lo, 2005b), Es decir, cada microciclo no es independiente de los demás y existe una orientación direccional subyacente en el proceso. Al hacerlo de esta manera, los futbolistas pueden mantener su forma deportiva durante un período competitivo largo.

Seirul·lo y Solé (2017) explican que, al principio de la temporada, el entrenador debe diseñar tres Microciclos Estructurados como máximo. Está planificación a tres semanas vista es lo que Tarragó *et al.* (2019) denominan "Ciclo de Entrenamiento Estructurado". Una vez que se ha completado el primero de ellos, el entrenador puede conformar los contenidos de un cuarto microciclo (que eventualmente se convertirá el tercero del ciclo triple). Además, deberá ajustar los contenidos de los otros dos microciclos. El patrón y el ritmo de los Microciclos Estructurados no debe mantenerse uniforme más de tres semanas, para aumentar la variabilidad de la adaptación biológica del deportista (Seirul·lo, 2014, en Couto, 2019c). De manera conjunta, esto confiere una microestructura dinámica en la que el entrenador debe ajustar todos los procesos de manera diaria, diseñando los contenidos de entrenamiento más adecuados para el futbolista y el equipo en cada momento del año, sin abandonar el plan general y siendo coherente con el proyecto del equipo.

> *Nosotros tenemos una forma de planificar el entrenamiento que es de tres semanas. Para esas tres semanas vemos el número de partidos que jugamos. Normalmente son seis partidos, y entonces cuando hemos cumplido la primera semana, y hemos visto lo que ha sucedido, planificados la cuarta, y así sucesivamente. Llamamos a este modelo de planificación, de "Microciclos Estructurados" y no está en función de con quién jugamos, sino en función de la separación que existe entre los partidos. (…) Para eso no hacemos una planificación que tenga que ver con la táctica que vamos a utilizar el Domingo. Porque nuestra estructura de microciclo va en función de las necesidades que tenemos en cada momento del equipo. (…) Lo que hacemos siempre es intentar optimizar nuestro juego. (…) Entendemos que toda la organización del entrenamiento debe ir encaminada a que, cada vez, nuestros jugadores optimicen más sus capacidades para ajustarlas a las necesidades concretas de nuestro juego. (Seirul·lo, 2014, citado en Couto, 2019c)*

Entrenar con niveles elevados de complejidad desde el inicio de la temporada es un requisito del fútbol moderno, debido al limitado tiempo que se dispone para entrenar en los equipos de élite. Por ello, no es sorprendente que entrenadores como Guardiola (citado en Perarnau, 2016) argumenten:

> *En el fútbol de hoy no hay tiempo para entrenar. Por esta razón hemos de trabajar solamente la táctica. En pretemporada no podemos seguir empleando dos semanas corriendo o preparando el físico, porque precisamente es el único momento del año en que podemos dedicar cierto tiempo a entrenarnos de verdad, a aprender, ensayar, conocer y corregir lo táctico. Conceptos, conceptos y*

conceptos. Que los aprendan en ese momento de la temporada y luego los iremos desarrollando y recordando a lo largo de todo el año.

Como su propio nombre sugiere, las situaciones simuladoras preferenciales deben tener un objetivo prioritario en cada microciclo. Desde un punto de vista práctico, esto significa que el entrenador debe seleccionar una dirección preferencial de un sistema y, desde aquí, los contenidos de entrenamiento deben organizarse buscando una optimización intersistémica. Esta dirección preferencial será diferente en cada microciclo.

Durante la pretemporada, Seirul·lo (2005b) organiza tres o cuatro niveles de configuración para una determinada estructura, con una orientación preferencial hacia un sistema de esta estructura. Por ejemplo, el entrenador puede elegir una estructura (condicional) y un sistema de dicha estructura (resistencia) y diseñar tres niveles de configuración para ser alcanzados de manera consecutiva durante el microciclo, es decir, en tres días. En el primer día se emplearían contenidos más generales, centrándose en la estructura preferencial del microciclo. Retomando el ejemplo anterior, el entrenamiento del primer día podrían estar enfocado en la estructura condicional y el sistema de resistencia empleando tareas generales. En los siguientes dos días se buscarían relaciones intersistémicas con otras estructuras mediante el uso de situaciones simuladoras preferenciales. El diseño de los niveles de configuración y la distribución de los contenidos generales, dirigidos y especiales debe ser realizado de acuerdo con los requerimientos individuales de cada situación.

Este diseño representan una perspectiva a corto plazo del proceso de entrenamiento. Seirul·lo (2005) propone utilizar sólo dos niveles de configuración para una determinada estructura durante el período competitivo, que se incluyen dentro del Bloque de Temporada semanal (Figura II.7). Complementando esta idea, la Figura II.11a muestra una organización del Microciclo Estructurado en el FC Barcelona (Roca, 2009). En dicha figura se puede observar la orientación de las sesiones del Martes y Miércoles, en las que los contenidos se relacionan con dos sistemas diferentes (fuerza y resistencia) de la misma estructura (condicional), tomando como referencia que la competición se celebra el Sábado. En el caso de que se disputen dos partidos por semana, Roca (2009) presenta en la Figura II.11b una organización teórica del Microciclo Estructurado. En cualquier caso, todas las alternativas tienen que ser aceptadas de mutuo acuerdo por el cuerpo técnico para que todos sus miembros estén involucrados en su implementación.

(b)	Lunes	Martes	Miércoles	Jueves	Viernes	Sábado	Domingo
Mañana	Fuerza General	Tareas Téc.-Tác.		Recupe-ración	Tareas Téc.-Tác.		Recupe-ración o Día Libre
Tarde			PARTIDO		Análisis Vídeo	PARTIDO	

(a)	Lunes	Martes	Miércoles	Jueves	Viernes	Sábado	Domingo
Mañana		Resisten. Dirigida	Fuerza Dir./Esp.	Tareas Téc.-Tác.	Tareas Téc.-Tác.		Recupe-ración o Día Libre
Tarde	Fuerza General	Tareas Téc.-Tác.			Análisis Vídeo	PARTIDO	

Figura II.11 Microciclo Estructurado en el FC Barcelona al jugar (a) un partido o (b) dos partidos por semana (basado en Roca, 2009).

Llegados a este punto, el lector podría preguntarse ¿cuándo van los jugadores al gimnasio en la metodología del Entrenamiento Estructurado? Este es un debate constante en el fútbol moderno en relación al entrenamiento en el gimnasio y las estrategias de prevención de lesiones, a lo que Seirul·lo (citado en Cappa, 2007) argumenta:

Hay un error: adjudicar siempre las lesiones a la preparación física. En el fútbol hay dos cosas: accidentes y lesiones. Los accidentes, que tenemos muchos, son inevitables y las lesiones, que tenemos menos, no. Utilizar las pesas de forma genérica, en movimientos y cargas que son muy ajenas al fútbol, es un error. Las pesas preparan al músculo para otras actividades que no son las que va a utilizar el jugador en el césped. Y eso le provoca sobrecargas. La musculación hay que usarla para mejorar la fuerza enfocada al fútbol, no genéricamente. Otra cosa es que de 16 a 19 años el futbolista necesite una formación muscular para que deje de ser un ciudadano de la calle y se transforme en un deportista. Pero si puede ser con balón, mejor. ¿Por qué? Porque el balón añade el elemento coordinativo que luego utilizas en el campo. Si tú haces tres saltos de piernas, como ejercicio, pero sin balón… no tiene sentido.

Dónde saltas, cómo apoyas.. todo es diferente si metes un balón por medio.
Por eso hay que hacerlo con balón. No es lo mismo saltar que saltar para tener
que dirigir un pase. Por eso, la preparación física del fútbol hay que hacerla
con balón siempre. El concepto está equivocado. La cuestión no es coger
fuerza en las piernas, sino adaptar la musculatura a lo que luego vas a hacer
en el campo. Lo contrario genera lesiones, pues el músculo no está preparado.

Seirul·lo incluye todos los contenidos complementarios en lo que denomina "entrenamiento coadyuvante" (Seirul·lo, 1986). El entrenamiento coadyuvante (o adyuvante como figura en el algunos textos) debe estar personalizado para cada jugador de acuerdo a sus necesidades individuales, como podría ser el caso con un futbolista que sale de una lesión. En otras palabras, puede utilizarse como preparación para el entrenamiento, estando centrado en estructuras aisladas (como la estructura condicional), mientras que la sesión de entrenamiento optimizadora debe buscar las sinergias entre distintas estructuras (por ejemplo, condicional, coordinativa y cognitiva). Siguiendo este razonamiento, el entrenamiento coadyuvante prepara para el entrenamiento optimizador y el entrenamiento optimizador habilita para la competición (Seirul·lo, 2014, en Couto, 2019c).

La introducción de acciones preventivas debe respetar la complejidad del proceso de entrenamiento. Todos estos tipos de ejercicios deben ser adecuadamente insertados en el Microciclo Estructurado con la intención de reducir el riesgo de sufrir lesiones. Romero (2017) clasifica los ejercicios de entrenamiento optimizadores-preventivos en las siguientes categorías:

- **Ejercicios preventivo-optimizadores sin carga competitiva:** Son los clásicos ejercicios utilizados en las rutinas de activación previas a la sesión y en programas de entrenamiento de la fuerza. Una sentadilla a una pierna o un peso muerto monopodal podrían incluirse en esta categoría. En cualquier caso, el entrenador debería buscar propuestas que respeten las demandas perceptivo-cognitivas del deporte.

- **Ejercicios optimizadores-preventivos con cargas específicas y competitivas:** Estos ejercicios son los principales contenidos del entrenamiento del deporte y el técnico puede constreñir las tareas para sobrecargar determinadas estructuradas (condicional, coordinativa, cognitiva, etc.).

- **Ejercicios compensatorios (entrenamiento preventivo postoptimizador):** Son los ejercicios empleados para favorecer la recuperación y la estabilización de las estructuras más solicitadas durante la sesión. El objetivo de este tipo de ejercicios es intentar reducir la incidencia de lesiones específicas por sobrecarga en cada deporte. Un ejemplo podría estar representado por los ejercicios que utiliza un futbolistas para prevenir la osteopatía dinámica de pubis.

Amparándose en una línea de pensamiento similar pero utilizando una diferente nomenclatura, Gómez *et al.* (2019) exponen de una manera detallada la organización del entrenamiento coadyuvante en el FC Barcelona, que adopta la siguiente taxonomía:

‣ **Entrenamiento coadyuvante preventivo:** Puede ser grupal (primario) o individual (secundario) según ataña a las características lesionales de cada especialidad deportiva o a las necesidades de cada jugador, respectivamente.

‣ **Entrenamiento coadyuvante de recuperación**: Se emplea después de los partidos de competición o sesiones de entrenamiento intensas.

‣ **Entrenamiento coadyuvante estructural:** Para incidir sobre aspectos individuales de fuerza general del deportista, ya sea a nivel de adaptación anatómica, hipertrofia o metabólico.

‣ **Entrenamiento coadyuvante de cualidades específicas:** Para el desarrollo más específico de las cuatro manifestaciones de fuerza necesarias para el fútbol: desplazamientos, saltos, luchas y acciones con el balón.

Para resumir este apartado y poner el proceso de Entrenamiento Estructurado en práctica, Seirul·lo (2005b) afirma que las estrategias de organización (programas de entrenamiento en los textos clásicos), las secuencias conformadoras (sistemas de entrenamiento o métodos) y las situaciones simuladoras preferenciales (tareas de entrenamiento) deben estar relacionadas, siempre respetando la complejidad del ser humano. Además, debe siempre tenerse en consideración que "una cosa es ver un entrenamiento y otra bien distinta es que se entienda el entrenamiento. Esa es, en definitiva, la gran diferencia" (Vila, citado en Perarnau, 2011).

Tareas de control y evaluación en el Entrenamiento Estructurado

La monitorización de las cargas de entrenamiento es necesaria en todo proceso. Para poder realizarla en el Entrenamiento Estructurado, la representación cuantitativa de la carga semanal se puede obtener mediante la frecuencia de sesiones y el número de estructuras y sistemas que están involucrados. Por otro lado, los componentes cualitativos se pueden identificar por cómo las secuencias conformadoras y las situaciones simuladoras preferenciales están organizadas, para permitir establecer interacciones dinámicas con los demás microciclos (Seirul·lo, 2005b).

De manera complementaria, las tareas de control pretenden verificar la efectividad de los contenidos de entrenamiento en la persona y, por ello, no se pueden proponer modelos externos al futbolista (Seirul·lo, 2002). Seirul·lo (2005b) cree que para tratar de controlar el proceso se debe examinar el rendimiento de los sistemas en dos días de entrenamiento, utilizando tests de capacidades, exámenes biológicos o por apreciaciones subjetivas del propio jugador. De una manera más práctica, Seiru·lo destaca que la manera de controlar la carga tiene que ir más allá de los tests de laboratorio tradicionales, tal y como reflejó en una entrevista del año 2001 (Seirul·lo, 2001):

> *Para controlar el entrenamiento deben realizarse observaciones objetivas sobre ciertas condiciones de las propias tareas de entrenamiento que realice este grupo de jugadores y que son consideradas como muy útiles para reconocer el nivel de optimización logrado en aquellos sistemas que permiten esa realización a cada jugador. No hace falta ningún otro test. (…) Es difícil [motivar a los futbolistas en los tests de esfuerzo en laboratorio] pues lo ven demasiado lejos de su práctica en el campo. Pero este no es sólo el motivo por el que este tipo de tests puedan ser o no ser válidos para el diseño de las cargas de entrenamiento. Si nosotros utilizamos métodos generales, estos tests son muy útiles, pero si nuestra propuesta es utilizar métodos especiales, estos tests no nos valen, pues miden cualidades genéricas. Lo mismo sucede en distintos tests de campo. Debemos ser coherentes para saber qué queremos que nos den los tests y no pedir lo que no nos pueden dar, o lo que es peor, mediatizar nuestra práctica simplemente porque un test nos indica un dato cuya interpretación confunde nuestras decisiones respeto al entrenamiento que debemos realizar. ¿Verdad que por el ruido que hace un motor al ralentí analizado por el mejor audiómetro no podemos predecir su rendimiento en las 24 horas de Daytona?*

Las tareas de evaluación se utilizan para conocer los efectos en la competición. El verdadero objetivo de la evaluación debería ser la detección del nivel de autoorganización del jugador, cómo interpreta su rendimiento en cada situación (Seirul·lo, 2002). Para poder cumplir con este propósito, el entrenador debe desarrollar sus propias estrategias de evaluación. La aproximación tradicional a este proceso ha sido a través de la recogida de datos cuantitativos, aunque Seirul·lo (2001) advierte, "cuantificar la realidad así, es descontextualizarla y los datos descontextualizados no nos valen para evaluar o tomar decisiones sobre un individuo o un proceso". Por ello, Seirul·lo (2005b) resalta la importancia de evaluar no sólo el resultado, sino también el proceso. Para hacerlo es importante usar datos cualitativos, incluyendo evaluaciones subjetivas y objetivas, medidas de rendimiento y juicios externos de la competición.

PARTE III

LA PERIODIZACIÓN TÁCTICA DE FRADE

"Nadie tiene la necesidad de aquello que desconoce"

José Mourinho

III.1 VÍTOR FRADE: EL PADRE DE LA PERIODIZACIÓN TÁCTICA

¿Hay algún entrenador que no se considere un experto en táctica? Siendo sinceros, la mayoría de los preparadores físicos piensan que sus equipos son los que mejor están físicamente de la competición. Este tipo de afirmaciones son fiel reflejo del pensamiento disociado en el fútbol que se mostró en el capítulo inicial del libro, donde lo táctico y lo físico representaban distintas dimensiones del jugador y del equipo. Por ello, bajo esta filosofía, no es extraño que cuando no se consiguen los resultados esperados el entrenador le muestre al preparador físico sus preocupaciones con argumentos del tipo "los jugadores no están bien físicamente", "nos falta chispa", "todos los demás equipos corren más que nosotros" o "parece que siempre estamos más cansados que el rival en los minutos finales". El preparador físico, en un menor escalón jerárquico respecto al entrenador, evita la confrontación con su superior y suele encontrar dos soluciones. Por un lado, somete a los jugadores a tests físicos inespecíficos para dejar constancia de que él no es el culpable del problema. Al repetir las pruebas los resultados de los jugadores suelen ser siempre mejores que cuando hicieron el test por primera vez (cómo no iba a ser así si el test inicial se realizó ¡a la vuelta de las vacaciones!). Por otro lado, refuerza las tareas condicionales durante los siguientes entrenamientos. Ahora los jugadores corren más durante la semana pero llegan con mayor fatiga al partido, lo que incrementa la probabilidad de derrota y de sufrir lesiones. Una vez que este círculo vicioso se ha instaurado, si el entrenador no es capaz de diagnosticar con precisión las causas que han llevado al deterioro del rendimiento del equipo, el cuerpo técnico tiene todas las papeletas para ser cesado en breves semanas.

La Periodización Táctica cuestiona la tradicional concepción reduccionista del fútbol y, a pesar de su creciente popularidad, hay mucha gente que desconoce aún su verdadera fundamentación. Como los entrenadores se ocupan principalmente de los aspectos tácticos, muchos de ellos se han visto rápidamente identificados con esta filosofía una vez que escucharon que era la metodología de entrenamiento empleada por José Mourinho. Más aún, los preparadores físicos -habitualmente encargados de periodizar las cargas de entrenamiento- también se vieron atraídos por esta apuesta ganadora, asumiendo que la Periodización Táctica se basaba en introducir el balón en los entrenamientos y en desarrollar una cualidad física de manera independiente cada día de la semana. De manera conjunta, tanto los entrenadores (interesados en la táctica) como los preparadores físicos (preocupados por la periodización) han creado su propia interpretación de la Periodización Táctica que, en muchos casos, tiene poco que ver con su verdadero significado.

Es imposible comprender la Periodización Táctica sin la figura del Profesor Vítor Frade (Coimbra -Portugal-, 1944). Todas las referencias biográficas que existen en la literatura sobre este autor revelan un carácter singular, alejado de las normas convencionales. Como alumno manifestó una aproximación no conformista con el pensamiento clásico, lo que le llevó a experiencias universitarias en distintas facultades como ingeniería, ciencias del deporte, filosofía o medicina, siempre en la búsqueda de respuestas a las múltiples preguntas que bombardeaban su cabeza. En paralelo, acumuló vivencias prácticas durante su carrera como futbolista y entrenador en diversos equipo portugueses, lo que unido a su carácter inconformista le hizo convertirse en un estudioso del deporte.

El concepto de Periodización Táctica se desarrolló hace unos 30 años y, desde entonces, ha estado sujeto a todas las influencias recibidas por Vítor Frade durante las siguientes décadas (Tamarit, 2013). Debido a que las metodologías tradicionales de entrenamiento no le proporcionaban respuestas concluyentes a los dilemas con los que se encontraba en sus experiencias teóricas y prácticas, Frade buscó un nuevo camino para hacer las cosas en el fútbol. Rui Faria (en Oliveira *et al.*, 2007) resalta la dificultad de este proceso, puesto que "a día de hoy, cambiar los conceptos y romper con la norma es muy difícil para algunos, atrevido para otros e imposible para la mayoría". Por ello, la Periodización Táctica puede considerarse como una rebelión contra los principios dogmáticos del entrenamiento y su organización, que se han expandido universalmente sin haberse contrastado bajo el peculiar y específico contexto del fútbol.

Basándose en sus conocimientos, Frade ensalzó la importancia que el cerebro y el sistema nervioso central tienen en las actividades motrices, yendo más allá de la tradicional separación entre cuerpo y mente. En este sentido, cimentó su nueva visión del fútbol en una diversidad de ciencias (neurociencia, ciencias de la complejidad, teoría de sistemas, teoría del caos, topología, geometría fractal, cibernética, psicología o antropología) que le ayudaron a combatir las reminiscencias del pensamiento clásico en los deportes y a abrir un marco conceptual innovador y alternativo en el fútbol. Esto implica que en la Periodización Táctica los entrenadores no sólo deben saber de fútbol sino también de otras áreas complementarias, porque "quien sólo sabe de fútbol, ni de fútbol sabe" (Frade, en Tamarit, 2013).

Tavares (2013) define la Periodización Táctica como "una metodología de entrenamiento en el fútbol que concibe el proceso de entrenamiento como un proceso de enseñanza y aprendizaje" y "que tiene sus propios principios metodológicos que son distintos de los de otras aproximaciones clásicas". Su nombre es consecuencia de la combinación de dos conceptos críticos: Periodización, que representa los requisitos temporales para adquirir una manera de jugar (Oliveira, 2007) y Táctica, ya que el fútbol prioriza la toma de decisión en un contexto específico colectivo. Tamarit (2007) refuerza las definiciones previas al señalar que "su máxima preocupación es el tipo de juego que un equipo pretende producir en el competición".

Frade (citado en Couto, 2018) afirma que "la dimensión táctica sólo existe *a priori* como configuración teórica, conceptual de lo que yo aspiro, como conjetura. Porque lo que es táctico, es del ámbito de la cultura táctica". Por ello, la organización intencional de la manera de jugar de un equipo emerge durante el proceso de entrenamiento. Es por esto que Frade (2003, citado en Couto, 2018) crea que "lo táctico no es técnico, no es físico, no es psicológico, pero precisa de ellos para manifestarse", por lo que se convierte en la supradimensión (táctica) que guía todo el proceso.

Tal y como se irá detallando en las sucesivas páginas, la Periodización Táctica consiste en una matriz conceptual (Idea de Juego) conjugada con una matriz de entrenamiento (principios metodológicos), que se muestran continuamente interrelacionadas y deben ser entendidas bajo una perspectiva sistémica (Tamarit, 2013). El logro de regularidades en la manera pretendida de jugar se puede manifestar en dos escalas temporales diferentes: al macronivel de la temporada competitiva y al micronivel de la estructura básica de planificación: el Morfociclo (Couto, 2018).

Fue en el entorno de las ciencias del deporte, en la Facultad de Oporto (Portugal), donde el Profesor Frade encontró la mejor plataforma para divulgar su metodología revolucionaria de entrenamiento, siendo un mentor diferencial para todos los alumnos que escogieron sus clases a lo largo de los años. El conocimiento teórico formulado por el Profesor Frade en esta Facultad encontró en el FC Oporto un magnífico altavoz para expandir el mensaje. Durante las últimas décadas el FC Oporto ha alcanzado un enorme éxito no sólo a nivel nacional sino también a nivel europeo, habiendo ganado la Liga de Campeones en la temporada 2003-04 y la

Copa de la UEFA/Europa League en los años 2002-03 y 2011-12, respectivamente. Dos entrenadores, José Mourinho y André Villas-Boas, sobresalen sobre los demás en este período y han alcanzado relevancia mundial, compartiendo ambos un rasgo identificativo: la Periodización Táctica. El propio Mourinho ha resaltado esta idea al decir que la única diferencia entre él y los demás entrenadores era la manera en la que él entrenaba (Oliveira *et al.*, 2007).

Por todo lo anterior, no es de extrañar que Oporto se haya convertido en un lugar inexcusable de peregrinación para todos aquellos técnicos para quienes la aproximación tradicional al entrenamiento del fútbol no satisface todas las inquietudes personales. El binomio entre la Universidad de Oporto y el FC Oporto ha permitido establecer un vínculo entre teoría y práctica, siendo Frade el ideólogo de esta concepción transgresiva que maneja la "entereza inquebrantable" del juego para poder alcanzar el "rendimiento Superior" (Tamarit, 2007, 2013).

Para obtener una perspectiva más amplia y precisa sobre la Periodización Táctica y evitar traducciones que den lugar a malas interpretaciones, se recomienda encarecidamente leer directamente a los principales expertos sobre el tema, como Vítor Frade, Guilherme Oliveira, Xavier Tamarit, Marisa Silva, Miguel Tavares o Bruno Oliveira y colegas, etc. De especial interés son las obras sobre Periodización Táctica escritas por Xavier Tamarit, que brillantemente proporcionan testimonios directos de Vítor Frade. Diversas citas relevantes se incluirán a lo largo de las siguientes páginas para facilitar la compresión de las particularidades de esta metodología de entrenamiento.

III.2 EL MODELO DE JUEGO

Cada aficionado al fútbol disfruta de un determinado tipo de estilo de juego, que puede definirse por una gran variedad de elementos: largas posesiones en las que todos los futbolistas participan en la elaboración de la jugada, juego directo buscando a los delanteros con balones largos, presión adelantada tras la pérdida de balón, replegarse unos metros para buscar el robo y salir en contraataque con espacios, etc. Muchos aspectos antropológicos y sociológicos influyen en la manera en que cada uno de nosotros entendemos el deporte, lo que abre una gran variedad de posibilidades sobre cómo la gente interpreta y reacciona durante un partido.

Al pasar de ser espectadores, meros observadores de la situación, a tener un rol como entrenador de un equipo de fútbol, las cosas cambian drásticamente ya que esta nueva responsabilidad demanda una incidencia directa en la manera en la que juega un equipo. El entrenador ya no permanece ajeno al escenario sino que se convierte en parte activa participando en su configuración, lo que le obliga a ver el juego desde otro prisma para ser capaz de liderar el proceso. La representación mental de cómo quiere el entrenador que su equipo juego es definida por Frade (en Tamarit, 2013) como la "Idea de Juego".

La elaboración de la Idea de Juego es el punto de partida del proceso y se origina en las experiencias y reflexiones del entrenador, sentando las bases de cómo quiere que el equipo se manifieste en la competición, es decir, una representación idealista del fútbol que pretende construir (Oliveira, 2003). El entrenador debe intentar ser lo más preciso posible a la hora de clarificar su concepción del juego, puesto que cuanto más claro y coherente sea su dibujo, más fácil será su transmisión a los jugadores y que éstos lo comprendan. Esto es esencial debido a que, en última instancia, los jugadores son los que se encargan de poner en práctica la organización del juego deseada por el entrenador.

El entrenador debe tratar de estructurar y sistematizar todos los elementos clave que configuran la particular visión de su manera de jugar en relación a los cuatro momentos del juego: ataque, defensa, transición ataque-defensa y transición defensa-ataque (Pereira, en Miranda, 2009). Además, todos los patrones básicos de estas fases deben ser identificados, concretados y jerarquizados en principios, subprincipios, subprincipios de los subprincipios (subsubprincipios) y subsubsubprincipios (Oliveira, 2003; Silva, 2008). Esta matriz conceptual debe respetarse desde el inicio hasta el final de la temporada, ya que es el esqueleto de la ideología futbolística del entrenador (Tamarit, 2013).

Por todo lo anterior, la Idea de Juego debe ser una declaración teórica de lo que, en términos de organización colectiva, debe lograr un equipo. La noción de "Modelo de Juego (como Intención Previa)" aparece cuando estos enunciados se trasladan a un contexto específico, es decir, cuando el tipo de fútbol que el entrenador tiene en su mente se manifiesta en una realidad particular (Frade, en Tamarit, 2013). La distancia entre las ideas del entrenador y las circunstancias será la misma que entre los conceptos de Idea de Juego y Modelo de Juego. Cuanto más cercanas estén ambas nociones más próximo estará el entrenador de lograr la organización colectiva intencional pretendida (Carvalhal, en Tamarit, 2013; Tavares, 2013).

Frade (en Tamarit, 2013) cree que el Modelo de Juego es "todo, ya que es la Idea de Juego más las circunstancias". Una vez que el entrenador ha definido su concepción del juego y se inserta en una realidad específica, es cuando se adentra en el terreno del Modelo de Juego. Es por esto que el Modelo de Juego es el camino para conjuntar todos los pensamientos tácticos individuales de los futbolistas, para que todos perciban y resuelvan una circunstancia del juego de la misma manera; es una plataforma donde deben converger las estrategias de acción para evitar las reacciones individuales que disipan la energía colectiva y la eficacia. Según Silva (2008), debe surgir fruto del diálogo entre el entrenador y los jugadores en la búsqueda del lenguaje del juego, asentando los valores y principios para adquirir una lógica en las acciones del fútbol.

Esta noción se ampara en uno de los argumentos tradicionales que manejan la gran mayoría de los entrenadores, que suelen proclamar que quieren que sus futbolistas jueguen como un equipo. En cualquier caso, hay muchas ocasiones que la consecución de este objetivo no es tan evidente como pudiese parecer por los pensamientos y actos discordantes de algunos futbolistas. Como un dicho popular manifiesta, si cuatro bueyes tiran de un carro, el carro se moverá a la velocidad del buey más lento. Por ello, la carencia de una cultura táctica común en un equipo es un gran inconveniente que compromete la adopción y el entendimiento de un Modelo de Juego e imposibilita lograr el rendimiento Superior. Mourinho (citado en Oliveira *et al.*, 2007) explicaba en el año 2002:

> *Lo más importante en un equipo es tener un determinado modelo, determinados principios, conocerlos bien, interpretarlos bien, independientemente de que se utilice este o aquel jugador. Esto es lo que llamo organización de juego.*

Yendo más allá, en otra entrevista del mismo año Mourinho (citado en Oliveira *et al.*, 2007), tras ser preguntado por un periodista sobre cómo sería su equipo deseado, contestó: "Sería aquel en el que, en una situación determinada, todos los jugadores piensan de la misma manera. Ese es mi concepto de equipo y sólo se consigue con tiempo, trabajo y tranquilidad". Otro entrenador portugués, Vítor Pereira (citado en Miranda, 2009) afirma que el Modelo de Juego es la "dinámica comportamental", es decir, lo que él quiere reconocer cuando ve jugar a su equipo.

Llegados a este punto es importante resaltar que el Modelo de Juego no significa lo mismo que el sistema de juego de un equipo (1-4-4-2, 1-4-3-3, 1-4-2-3-1, etc.) ya que esto último sólo representa la estructura estática del equipo. Una vez que el balón está en juego y los futbolistas se mueven, los rasgos funcionales identificativos de un Modelo de Juego deben manifestarse, mostrando redes de colaboración entre todos los miembros del equipo y patrones de referencia individuales y colectivos, siempre en beneficio de una organización cualitativa del equipo (Villas Boas, en Sousa, 2009).

El Modelo de Juego puede verse influenciado por distintos factores que, siguiendo a Oliveira *et al.* (2007) y Tamarit (2013), serían:

- **Cultura futbolística de un país.** Cada nación tiene sus peculiares características, lo que hace que lo que se espera al presenciar un partido en un país del sur de Europa sea distinto a lo esperado en otro país del norte. No es lo mismo ser el seleccionador nacional de Brasil que el de Australia, por lo que es muy importante que el entrenador sepa sobre la cultura futbolista del lugar en el que va a trabajar, para poder desarrollar un Modelo de Juego consecuente con el contexto. Villas Boas (en Ribeiro y Viana, 2013) enfatiza este aspecto al relatar los problemas que experimentó al dirigir al Chelsea FC, ya que trató de implementar un determinado patrón de juego en un país con una cultura diferente.

- **Cultura e historia del club.** Este factor está estrechamente ligado con el anterior, ya que clubs como el FC Barcelona, FC Oporto o Ajax de Amsterdam tienen un estilo muy definido y conciben una especial estética en el juego que debe ser respetada.

- **Estructura y objetivos del club.** Dentro de una misma competición, no es lo mismo dirigir a uno de los clubs más fuertes que hacerlo con uno de los equipos recién ascendidos que cuenta con un presupuesto muy modesto. La manera de jugar será distinta en un equipo que lucha por ascender frente a la de un equipo que pretende no bajar de categoría.

- **Idea de Juego del entrenador.** Refleja la visión particular que cada entrenador tiene del juego y, en última instancia, cómo desarrollarla durante el entrenamiento. Podemos encontrar entrenadores preocupados en anotar más goles que el rival mientras que otros se concentran en encajar menos que los adversarios (Mallo, 2013). Esto muestra dos maneras divergentes de aproximarse a la misma realidad.

▸ **Estructura o sistema de juego del equipo.** Los sistemas de juego han sufrido una considerable variación con el paso de los años, pasando del sistema clásico piramidal (1-2-3-5), característico del primer Mundial en 1930 (Tassara y Pila, 1986), a formaciones contemporáneas como el 1-4-2-3-1, 1-4-3-3 o 1-4-4-2.

▸ **Capacidades de los jugadores.** Representa los recursos humanos de los que dispone el entrenador para aplicar el Modelo de Juego. Las experiencias previas de los futbolistas también serán importantes, especialmente cuando la dirección del entrenamiento sea diferente a la convencional, como sucede con la Periodización Táctica. Los jugadores más veteranos suelen mostrarse más reacios a aceptar cambios metodológicos en su manera de entrenar.

▸ **Otros.** Este epígrafe recoge todas las fuentes de incertidumbre adicionales que pueden influir en el diseño de un Modelo de Juego, como el momento de la temporada en el que el entrenador se hace cargo del equipo, el calendario de las competiciones, los recursos materiales, los medios disponibles en el departamento médico, etc.

De acuerdo a Frade (en Tamarit, 2013), cuando el Modelo de Juego se practica en el terreno de juego durante las sesiones de entrenamiento y partidos, las "Intenciones Previas" se transforman en "Intenciones de Acción". Bajo estas circunstancias surgen abundantes interacciones entre los futbolistas, lo que obliga al entrenador a estar constantemente en alerta para detectar y sacar partido a las nuevas direcciones que el Modelo de Juego pudiera adoptar. Las conductas emergentes que resultan de la interacción entre los jugadores y el contexto no deben afectar a la matriz de juego -las referencias colectivas iniciales- sino ayudar a la evolución del Modelo (Tamarit, 2007). Es por ello que el Modelo de Juego representa un sistema dinámico, abierto y complejo, que actúa como un bucle que nunca se cierra o concluye y que puede estar permanentemente sujeto a nuevas interacciones y emergencias. Esto hace que el Modelo de Juego esté siempre presente y en construcción, orientando todas las actividades llevadas a cabo durante los entrenamientos para privilegiar una determinada dirección en el juego (Oliveira, en Silva, 2008).

Para poner un ejemplo práctico de cómo toda esta información podría llevarse a la práctica, podemos utilizar el hipotético caso de un entrenador que, antes de empezar la temporada, sistematiza su Idea de Juego. En relación al momento ofensivo, el entrenador estructura al equipo en una formación 1-4-3-3 y establece como objetivo principal de esta fase el mantenimiento de la posesión del balón utilizando circulaciones dinámicas y dando mucha amplitud al juego, para tratar de abrir las lineas rivales y desorganizar la defensa. Este principio fundamental puede ser abordado en más detalle a través de subprincipios y unidades menores, que aportan referencias posicionales. Por ejemplo, los extremos podrían ubicarse muy cerca de las líneas de banda para utilizar todo el ancho del campo cuando el equipo tiene el balón. De esta manera se podría pretender generar situaciones de uno contra uno del extremo contra el lateral opuesto y buscar los centros al área una vez superado al rival.

Cuando se inicia la pretemporada el entrenador se sumerge en un contexto específico de fútbol, con las peculiaridades que su equipo conlleva. Así, continuando con el ejemplo anterior, después de analizar las características de los futbolistas que forman su plantilla un entrenador podría darse cuenta que sus extremos no tienen la capacidad suficiente para resolver las situaciones de uno contra uno desbordando por fuera, lo que afectaría al Modelo de Juego (como Intención Previa). El entrenador debe reflexionar y encontrar alternativas, como podría ser jugar con los extremos a pierna cambiada para que en las situaciones de duelo individual frente a los laterales rivales, buscasen más la salida por dentro en diagonal hacia la portería. En cualquier caso, estos cambios posicionales de los jugadores no deberían afectar a la matriz de juego del entrenador, a su fundamentación ideológica. De la misma manera, el propio juego puede dar lugar a emergencias de interacciones particulares entre jugadores (por ejemplo, entre un lateral izquierdo y un extremo izquierdo) que no estaban previstas inicialmente. Esto representaría el Modelo de Juego como Intención de Acción. El escrutinio permanente al que se somete el Modelo de Juego permitirá priorizar estos comportamientos para beneficiar el funcionamiento del equipo.

El Modelo de Juego debe estar claramente detallado y explicado a los jugadores para que éstos sean capaz de entender lo que el entrenador pretende para cada momento del juego y lo que tienen que hacer para lograr la esperada organización cualitativa del equipo (Tamarit, 2007). Como se indicó anteriormente, para facilitar este proceso los principios del juego (o principios de acción, en Silva, 2008) deben estar sistematizamos en principios, subprincipios, subsubprincipios y entidades menores (Oliveira, 2003). La articulación de estos comportamientos facilitará manifestar la organización de juego deseada de manera regular (Silva, 2008).

Los principios son comportamientos genéricos que se pretenden adquirir para ayudar a entender el juego (Tamarit, 2007), al mismo tiempo de ser referencias intencionales para resolver los problemas del juego (Silva, 2008). En este sentido,

Oliveira (en Silva, 2008) expande esta noción especificando que estas conductas deben reflejarse en términos colectivos -equipo- e individuales -futbolista-, ya que debe existir un continuo equilibrio entre ambas escalas del jugar. Este diálogo colectivo-individual se define por la interpretación conceptual y metodológica del deporte (Tavares, 2016, en Couto, 2019b). Aunque ayuden a configurar el funcionamiento colectivo, nunca hay que perder de vista la idea de que son únicamente principios y nunca un fin en sí mismos (Amieiro, en Couto, 2019c).

Al adentrarnos en un nivel de análisis más profundo, los subprincipios y sub-subprincipios representan comportamientos específicos que ocurren dentro de los niveles previos (Tamarit, 2007). La relación fractal entre todas las escalas del jugar debe ser respetada, ya que los conceptos menores deben ser siempre representativos del juego global (Delgado y Méndez, 2018). De manera adicional, aunque estos principios y subprincipios puedan hacer referencia a un único momento del juego, deben estar articulados para evitar perder perspectiva de la totalidad del jugar. El proceso que impide comprometer esta entereza lo describe Frade (citado en Tamarit, 2013) como "reducir sin empobrecer".

Tavares (2013) establece una serie de escalas a la hora de aplicar los principios del juego que dependen del número de jugadores involucrados y que, yendo de mayor a menor número de participantes, son: colectivo, intersectorial, sectorial, grupal e individual. Estas categorías manifiestan distintas relaciones entre los futbolistas de acuerdo a su puesto específico (Oliveira, 2003). Los comportamientos colectivos son aquellos que incluyen a todos los jugadores de un equipo, por ejemplo, cuando un equipo hace evoluciones de 11 jugadores sin oposición. Un sector representa una línea (p. ej. defensas) y, por ello, en un ejercicio sectorial intervienen jugadores de la misma línea (p. ej. movimientos zonales de la línea de cuatro defensores), mientras que si el ejercicio es intersectorial participarían jugadores de diferentes líneas (p. ej. tres centrocampistas y tres delanteros haciendo acciones combinativas de centro y remate). De modo adicional, un grupo se caracteriza por una serie de futbolistas de distintas líneas que colaboran juntos (p. ej. un mediocentro, un extremo y un delantero en una secuencia de pases y remates). Finalmente, la escala individual refleja situaciones en las que las relaciones con los compañeros no son significativas.

Es importante resaltar que estos principios del juego, que son referencias de comportamientos, no deben confundirse nunca con los principios metodológicos, que serán explicados en el siguiente apartado. El uso de imágenes, tanto del propio equipo como de equipos que comparten similares principios del juego, puede facilitar que los futbolistas tengan una visión más nítida de lo que se espera de ellos (Pereira, en Tamarit, 2013).

En cualquier caso, tal y como mostrarán las siguientes páginas, el entrenamiento en el campo es un aspecto imperativo para experimentar la manera de jugar deseada y para crear "Intenciones Intencionales" (Tamarit, 2013). En este sentido, Frade (2002, en Silva, 2008) cree que el entrenamiento debe ayudar al desarrollo de los principios de juego para cada momento. Para poder satisfacer este objetivo las tareas de entrenamiento deben ser específicas y privilegiar la aparición de determinados comportamientos. La importancia que se le da al instante actual, en lo que Frade (citado en Tamarit, 2013) llama el "aquí y ahora" contrasta con otras corrientes metodológicas en las que el entrenador lidera al equipo pero tiene una presencia testimonial en las sesiones diarias.

El rol del entrenador en la Periodización Táctica es totalmente diferente pues debe ser el principal director del proceso, debiendo poseer una exquisita sensibilidad para detectar y reflexionar sobre todos los eventos que suceden durante los entrenamientos y los partidos, para así poder enriquecer la calidad y evolución del Modelo de Juego. Las tareas de entrenamiento son únicamente situaciones potenciales de aprendizaje en las que el entrenador debe intervenir para favorecer la consecución de determinados objetivos (Silva, 2008). Por lo tanto, el técnico debe combinar ciencia y arte para gestionar los episodios de entrenamiento y conocer cómo constreñir las tareas para que emerjan los comportamientos esperados. Frade (citado en Couto, 2018) define esta sensibilidad como el "sentido de la divina proporción", refiriéndose a la habilidad para desarrollar una aproximación cualitativa al proceso, sabiendo qué tipo de intervención es la que más conviene en cada contexto. No es extraño, por lo tanto, que Mourinho (en Resende, 2002; citado en Couto, 2018) argumente que un mismo ejercicio llevado a cabo por dos personas diferentes puede parecer completamente diferente uno del otro.

La Figura III.1 representa un ejemplo práctico de cómo los principios del juego de un equipo pueden organizarse en distintos niveles, proporcionando una visión esquemática sobre cómo fraccionar la manera de jugar. Desde el sistema de juego o estructura del equipo (aquéllos que el equipo usará con mayor frecuencia durante la temporada, p. ej. 1-4-3-3 o 1-4-2-3-1) el entrenador puede elaborar una articulación jerárquica de los principios del juego para cada momento. Para ilustrar esta idea teórica podemos seleccionar un momento del juego (p. ej. defensivo) e identificar un principio que nosotros, como entrenadores, queremos para nuestro equipo (p. ej. presión zonal adelantada). Para poder lograr este principio genérico debemos sistematizar y articular diferentes subprincipios, como podrían ser:

(a) Equilibrio posicional para organizar la defensa.

(b) Reducir y cerrar los espacios de juego disponibles para el rival.

(c) Presionar al jugador con el balón.

De esta manera, hemos pasado de definir un principio general (lo que queremos para nuestro momento defensivo) a especificar ciertos comportamientos dentro de este momento. Estos subprincipios podrían ampliarse para que los futbolistas comprendiesen aún mejor lo que tienen que hacer mientras defienden. Continuando con el ejemplo anterior, cuando presionamos al rival con el balón (tercer subprincipio) podríamos establecer los siguientes subsubprincipios:

(i) Orientar el juego hacia zonas en las que se puede recuperar el balón con mayor facilidad.

(ii) Elegir el instante adecuado para entrar al rival.

(iii) Facilitar las ayudas para recuperar el balón en una segunda acción.

(iv) Evitar que el rival supere nuestra línea de presión mediante un pase.

Si fuese necesario y quisiéramos dar aún más detalle a nuestro modelo podríamos incluir otra subdivisión más, definiendo subsubsubprincipios. Este mismo proceso se debería seguir con los cuatro momentos que componen el Modelo de Juego, así como para las acciones a balón parado. Hay diferentes opiniones sobre cómo debería ser la relación entre las escalas del jugar y los niveles de complejidad en los que se aplican los principios. Según Delgado y Méndez (2018) los grandes principios hacen referencia a los comportamientos expresados a nivel de la escala colectiva, mientras que los subprincipios abordan relaciones intersectoriales y sectoriales, y los subsubprincipios se encargan de las acciones individuales. Por otro lado, Amieiro (2014, en Couto, 2019c) no piensa que sea obligatoria esta relación directa, por lo que no cree necesario que los principios, subprincipios y subsubprincipios tengan que estar siempre vinculados con las escalas colectivas, intersectorial e individual, respectivamente.

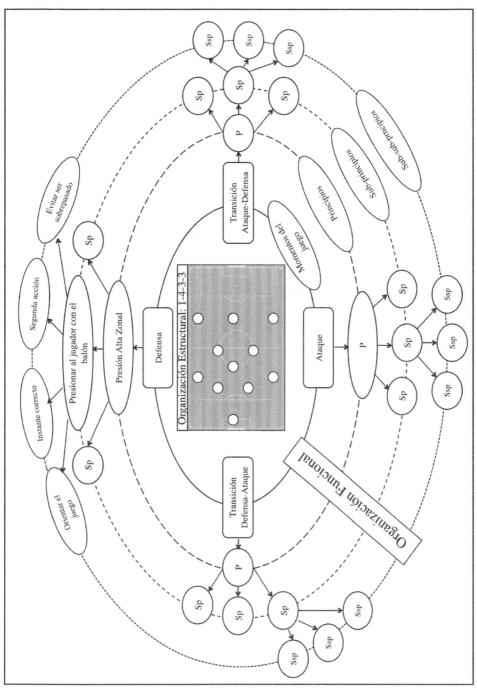

Figura III.1. Organización estructural y funcional de un Modelo de Juego

El ejemplo previo representa únicamente una forma teórica de hacer este proceso. Se trata de un procedimiento muy personal, de modo que cada entrenador debe dedicar tiempo a ello, reflexionando y sistematizando cómo le gustaría que su equipo se comportase en la competición. Esta visión singular y particular de la manera pretendida de jugar determina las acciones colectivas e individuales, así como las referencias de comportamiento (Oliveira *et al.*, 2007).

Aunque los entrenadoras tengan una visión nítida de cómo quieren que juegue su equipo, debemos tener siempre presente que el fútbol es un deporte abierto, impredecible y caótico, por lo que no podemos caer en el error de detallar todos los comportamientos que esperamos que ocurran por que, de hacerlo así, estaríamos destruyendo la creatividad individual de los verdaderos protagonistas: los jugadores. Por esta razón Silva (en Couto, 2019b) sugiere que los técnicos deben trabajar con criterios y principios de interacción, ya que al incidir sobre los comportamientos podemos perder variabilidad en las respuestas de los futbolistas. De manera complementaria, Pereira (2014, citado en Couto, 2019c) resalta:

> *Es una idea de juego que se va construyendo a lo largo del tiempo. Tu vas acrecentando subprincipios que van enriqueciendo tu manera de jugar (…) Yo he ido creciendo hacia la simplicidad, a lo largo de mi trayecto. O sea, tengo determinadas ideas claras, los grandes principios bien definidos. Subprincipios que yo voy acrecentando para la riqueza del jugar que pretendo, pero nunca al pormenor de los pormenores.*

Una vez que los rasgos esenciales y característicos de la organización colectiva se han detallado (lo que representa la dimensión táctica), el entrenador puede profundizar en los aspectos coyunturales que surgen al enfrentarse a un equipo rival en la competición (la dimensión estratégica). La dialéctica entre las dimensiones táctica y estratégica es muy particular para cada equipo. Las características de organización funcional del equipo deben estar basadas en los grandes principios para desarrollar un modo intencional de jugar que se practica de manera consecutiva durante todos los Morfociclos. Este debe ser adecuadamente conjugado con los elementos circunstanciales a implementar en los días previos a la competición, generalmente a través de los subprincipios y entidades menores de la manera de jugar. En el caso de que el entrenador invierta la relación equilibrada entre la dedicación al propio equipo y al rival puede desarrollar una visión más reactiva que activa, perdiendo la matriz conceptual que identifica al propio equipo, ya que entonces la esencia del proceso de entrenamiento recaería en los subprincipios derivados de cómo contrarrestar al rival. Por ello, la importancia del oponente, del entorno contextual, nunca es tan importante como el propio equipo, tal y como Mourinho (citado en Oliveira *et al.*, 2007) afirma:

> *Nosotros analizamos al rival, intentamos prever cómo se puede comportar contra nosotros y así intentamos posicionarnos en las zonas más importantes del campo en función de sus puntos fuertes y débiles. Estos son detalles posicionales. No "interfieren" con nuestros principios, ni con el sistema. Creemos que lo más importante somos nosotros, la forma como jugamos y automatizamos nuestro modelo.*

A partir de todo lo anterior, cuando un entrenador estudia a un rival lo que está realmente haciendo es intentando determinar la dinámica de juego del equipo, que se caracteriza por su Modelo de Juego, identificando los comportamientos estructurales y funcionales que se repiten de manera regular. Esto se representa por los principios de la organización colectiva e individual de los jugadores, reflejando un patrón seleccionado de comportamiento (Oliveira, en Silva, 2008).

III.3 PRINCIPIOS METODOLÓGICOS

Tal y como se indicó en el apartado precedente, el punto de partida para el entrenador es definir la Idea de Juego que quiere que su equipo reproduzca. Una vez realizado esto y trasladado a un contexto, el Modelo de Juego evoluciona sin perder su matriz identitaria, utilizando los principios del juego para ayudar a que los jugadores entiendan e interioricen la manera de organizar al equipo. El entrenamiento debe poner en práctica estos principios jerarquizados para poder optimizar "interacciones intencionadas" entre los jugadores (Tamarit, 2013).

La concepción global del juego refleja los pensamientos del entrenador sobre la forma de jugar al fútbol, por lo que todo lo que se haga durante el entrenamiento debe intentar satisfacer este propósito. Sin embargo, es sorprendente la cantidad de tiempo que equipos profesionales consumen en contenidos inespecíficos que se alejan del propio fútbol: series de carreras en el bosque, cuestas, arrastre de trineos, etc. Se refuerza de nuevo la idea de que muchos entrenadores con este perfil son lo que más tarde se lamentan de la falta de tiempo disponible para entrenar cuando los resultados en la competición no les acompañan.

Por ese motivo, existe una diferencia crítica entre otras metodologías de entrenamiento y la Periodización Táctica, puesto que en el caso de esta última todo el proceso de entrenamiento se dirige a la supradimensión táctica del juego (Tamarit, 2007). Mourinho (en Oliveira *et al.*, 2007) relaciona los anteriores mandamientos concluyendo que el entrenador debe definir su estilo personal de juego y debe entrenar siempre de acuerdo con el modo de jugar que pretende. Esta afirmación señala una responsabilidad bidireccional de los entrenadores: conceptualizar un Modelo de Juego y operativizarlo durante el entrenamiento (Tamarit, 2013). Por ello, ambas realidades deben combinarse ya que la metodología de entrenamiento debe estar, inexorablemente, subordinada al Modelo de Juego (Oliveira *et al.*, 2007). No todos los entrenadores son capaces de conseguir ambas tareas, lo que puede servir como explicación para la abundancia de contenidos inespecíficos en las sesiones.

La única manera en que los futbolistas pueden experimentar y adquirir la manera de jugar que el entrenador desea es respetando el *Principio de Especificidad* (en mayúscula). Este es un principio esencial en la Periodización Táctica y envuelve todos los demás, haciendo significativo el proceso mediante la presentación ininterrumpida del Morfociclo (Couto, 2018). Aunque pudiera parecer una noción banal, es llamativo el número de veces que se ignora, tal y como se indicó en los párrafos previos. Por esta razón debe ensalzarse su importancia y situarse por encima de todas las directrices metodológicas adicionales, ya que facilitará que los jugadores adquieran comprensión del juego, creando una cultura táctica y promoviendo comportamientos colectivos. Al actuar bajo este criterio todos los futbolistas deberían responder con los mismos fundamentos cuando identifican un problema común durante el juego.

Como su propio nombre indica, entrenar en Especificidad evidencia la necesidad de vincular todos los comportamientos que se desea que ocurran en el juego. Este tipo de conductas debe ajustarse a la jerarquía conceptual implementada por el Modelo de Juego y sus correspondientes principios. Según lo anterior, la dimensión táctica se torna prioritaria en relación a todas las otras dimensiones del rendimiento (física, técnica, psicológica) que se desarrollarán siempre por arrastre sin ser consideradas como objetivos de entrenamiento independientes (Tamarit, 2007). En este sentido, Amieiro *et al.* (citados en Tamarit, 2007) afirman que "cualquier acción técnica, o física, tiene siempre subyacente una intención táctica", ya que el entrenamiento está enfocado en asimilar una determinada manera de jugar (Oliveira *et al.*, 2007).

Aunque esto pudiese parecer insuficiente estímulo de entrenamiento de acuerdo al razonamiento convencional, las dimensiones física, técnica o psicológica evolucionan dentro del Modelo de Juego sin requerir ejercicios adicionales. En otras palabras, los clásicos ejercicios condicionales o técnicos no tienen lugar en la Periodización Táctica, ya que todo debe estar relacionado directamente con la manera de jugar (Tamarit, 2007). Por ello, contenidos como acelerar tirando de un trineo y después tirar a portería, que son considerados como ejercicios específicos por algunos preparadores, no respetan el Principio de Especificidad ya que no tienen ninguna incidencia en la adquisición de los principios del juego o en la organización del equipo. En ese sentido Frade (citado en Tamarit, 2007) ensalza que "la contracción muscular aislada de su especificidad dentro del Modelo de Juego preconizado por el entrenador sólo limitará el jugar". Mourinho (citado en Oliveira *et al.*, 2007) dota de mayor claridad a este asunto añadiendo:

> *Al trabajar la vertiente táctica en unas condiciones semejantes a las que deseamos para la competición y al juego que deseamos, estamos desenvolviendo la vertiente física en la especificidad que tiene, por ejemplo, en vez de desarrollar la "fuerza" de una forma aislada o descontextualizada, lo hacemos a través de ejercicios con determinadas características, jugando con el espacio, el tiempo, el número de jugadores y las reglas que les imponemos, de esta forma, estamos desarrollando algo relacionando con la "fuerza" pero en un contexto más específico. Un ejercicio táctico-técnico en el que existen a la vez muchos saltos, paradas, cambios de dirección, es mucho más útil que trabajar la "fuerza" aisladamente. Lo difícil de todo esto es poner en práctica lo que queremos, es conseguir hacer los ejercicios adecuados que engloben todas las vertientes, sin olvidar nuestra primera premisa: potenciar un determinado principio de juego.*

El supraprincipio de la Especificidad da sentido a todo el proceso y se convierte en un "imperativo categórico" (Frade, citado en Tamarit, 2013). Los ejercicios de entrenamiento deben ayudar a vivir los principios que configuran el Modelo de Juego, ayudando a automatizar la organización colectiva (Oliveira *et al.*, 2007). Rui Faria, en una entrevista del año 2003 (citado en Oliveira *et al.*, 2007) profundiza sobre este aspecto al indicar, "si el objetivo es la mejora de la calidad del juego y de la organización, esos parámetros sólo se consiguen concretizar a través de situaciones de entrenamiento o de ejercicios en los que se consiga trabajar esa organización" y concluye que "entrenar significa mejorar el juego". Mourinho también se manifiesta en términos semejantes al afirmar que la base del rendimiento de un equipo es su organización del juego (Oliveira *et al.*, 2007).

Como consecuencia, todo lo que se hace durante el entrenamiento, incluso los calentamientos, deben seguir este razonamiento y estar enfocado hacia la manera de jugar que se pretende (Pereira, en Tamarit, 2013). La parte introductoria debe respetar la dominancia de la sesión, aunque Amieiro (2014, en Couto, 2019c) re-marca que el entrenador no debe convertir estos minutos iniciales en una fase adquisitiva, ya que los jugadores no estarán completamente preparados para ello.

Carvalhal (en Couto, 2019c) cree que los ejercicios específicos son aquellos que ayudan a mejorar la forma de jugar de un equipo. Esto provoca que una de las grandes tareas del entrenador sea "encontrar ejercicios que lleven al equipo a rea-lizar lo que de él se pretende durante un partido" (Mourinho, 2003, citado en Oliveira *et al.*, 2007). Tamarit (2013) indica que, además de la relación con el Mode-lo de Juego, para que los ejercicios sean específicos deben tener las siguientes carac-terísticas:

▸ Los jugadores deben comprender los ejercicios.

▸ Los futbolistas deben mantener niveles elevados de concentración.

▸ El entrenador debe intervenir en la tarea en determinadas circunstancias de acuerdo a las interacciones que vayan emergiendo.

La necesidad de los futbolistas de concentrarse en el entrenamiento era ya re-saltada en el año 1993 por entrenadores de alto nivel como Fabio Capello (citado en Suárez, 2012) que afirmaba: "Lo importante no es trabajar muchas horas, sino ha-cerlo de forma intensa y con mucha concentración. Hay que intentar reproducir las situaciones de stress del partido, porque como entrenas, juegas". Entrenar en con-centración (táctica) implica la capacidad para seleccionar la información relevante del entorno durante la totalidad de la sesión de entrenamiento o la competición. Esta concentración decisional es también específica de la manera de jugar y, para aumentarla, Mourinho (en Tamarit, 2007) manifiesta que requiere de ejercicios complejos donde los jugadores deban estar permanentemente pensando y comu-nicándose, ya que no se puede lograr por el empleo de ejercicios analíticos. En este sentido, Mourinho explicaba en el año 2002 (citado en Oliveira *et al.*, 2007):

Lo que hace que un entrenamiento sea más o menos intenso es la concen-tración exigida. Por ejemplo, correr por correr tiene un desgaste energético natural, pero su complejidad es nula. Como tal, el desgaste emocional apenas existe, al contrario de las situaciones complejas, en las que se exige a los jugadores requisitos tácticos, técnicos, psicológicos y físicos. Es esto lo que representa la complejidad del ejercicio y lo que conduce a una concentración mayor.

Además del Principio de Especificidad, existen otros tres principios metodológicos (el Principio de las Propensiones, el Principio de la Progresión Compleja y el Principio de la Alternancia Horizontal en especificidad) que deben ser respetados. Todos estos principios son interdependientes por lo que tienen que entenderse de manera conjunta formando una unidad, debiendo ser articulados correctamente para desarrollar una vista holística de la Periodización Táctica. Como se verá durante las siguientes páginas, estos principios difieren de los que figuran habitualmente en los manuales clásicos de la teoría y práctica del entrenamiento deportivo.

El *Principio de las Propensiones* resalta la necesidad de diseñar contextos de entrenamiento que hagan posible que determinados comportamientos se manifiesten con mayor frecuencia, es decir, asegurar que los futbolistas generen una mayor densidad de las conductas seleccionadas. Es muy importante aclarar este punto, ya que muchas veces el entrenamiento se organiza en la dirección opuesta. A modo de ilustración, bajo el enfoque tradicional cuando un entrenador quiere que un jugador realice una acción determinada (p. ej. tirar a portería) crea un ejercicio que solicita repetidamente esta acción (p. ej. los jugadores se colocan en una fila, salen de uno en uno, conducen la pelota y tiran al llegar a la frontal del área). La perspectiva es diferente en la Periodización Táctica, debido a que el entrenador debe estar preocupado en "parir el contexto en lugar de los comportamientos" (Frade, citado en Tamarit, 2013). Esto refuerza el axioma de "reducir sin empobrecer" del mismo autor.

De manera adicional, Tavares (2013) ensalza estas ideas al decir que "dirigimos principios, subprincipios, etc. no ejercicios o comportamientos". Por ello, si un entrenador quiere que sus jugadores vivencien una elevada densidad de tiros a portería, puede diseñar un juego reducido de cuatro contra cuatro que probablemente lleve a multitud de situaciones de finalización. Si una vez iniciado el juego el entrenador detecta que no se cumple el objetivo, puede modificar las normas para que el subprincipio que pretende lograr aparezca más veces, en otras palabras, "condicionar el ejercicio, para que surja repetidamente el comportamiento pretendido" (Tamarit, 2007). Rui Faria (en Campos 2007) ensalza que es fundamental que el entrenador sepa exactamente qué quiere de cada ejercicio para que, cuando los jugadores lo estén realizando, puedan experimentar lo que el entrenador pretende. Pereira (citado en Couto, 2019c) da su punto de vista práctico sobre este aspecto al explicar:

Yo procuro que mi entrenamiento sea lo más real, que aquello que yo pretendo que surja en términos de juego. (...) Les coloco el ejercicio y es el propio ejercicio que les va llevando hacia el comportamiento. (...) Yo tengo la capacidad para crear un ejercicio capaz de promover el comportamiento ¡casi sin intervención! Que casi sin intervención, el comportamiento surja naturalmente, pero respetando el jugar de ellos. (...) El explicar el ejercicio, el explicar cuáles son los objetivos, ¡eso cansa! ¡Deja que el ejercicio hable! El ejercicio tiene que promover el comportamiento y tú tienes que dar uno u otro feedback, pero que ellos descubran las soluciones.

La adecuada organización de las tareas de entrenamiento ayuda a los jugadores a adquirir los principios del juego (Tamarit, 2013) y al desarrollo de regularidades del estilo de juego del equipo. El diseño de prácticas condicionadas debe garantizar una densidad significativa de acciones e interacciones propias de cada momento del juego independientemente de la escala del jugar que esté siendo representada. Maciel (en Tamarit, 2013) refuerza esto al decir que estos contextos de entrenamiento deben llevar a un predominio de las interacciones que caracterizan a un estilo de juego. Couto (2018) cree que es más importante generar paquetes de juego que series de ejercicios, siempre respetando la continuidad y el flujo del juego e incluyendo más de un momento del jugar (Carvalhal, en Couto, 2019a).

La modelación del ejercicio debe garantizar la repetición sistemática, que es fundamental en las actividades de aprendizaje, así como para consolidar los principios del Modelo de Juego (Oliveira et al., 2007; Tamarit, 2013). Esta repetición intencional de contenidos específicos de ejercitación facilita que los futbolistas adquieran una comprensión colectiva del juego y una identidad, para que los jugadores puedan interactuar durante el juego de acuerdo a sus referencias interpersonales específicas (Couto, 2018). Ya en el año 2001, Mourinho (en Oliveira *et al.*, 2007) resumía sus características de entrenamiento en relación a este aspecto afirmando:

Se consigue automatizar a los jugadores con trabajo y [...] con menos diver-
sión diaria. Creo que en este país hay jugadores que se divierten más que los
míos, que se divierten entrenando, no lo hacen de forma tan metódica o exi-
gente. Para nosotros, cada día de trabajo es un día con un contenido táctico
importante. Son cosas que se trabajan y que exigen concentración y de las que
se obtienen dividendos. (...) No confío mucho en los sistemas que tienen su
origen en un gabinete, en una reunión, en la conversación con los jugadores.
Creo en el entrenamiento, en la explicación, en la repetición sistemática, en la
sistematización...

Desarrollar hábitos es esencial en los deportes ya que acelera el proceso de toma de decisión (Tamarit, 2007). Cuando un jugador está familiarizado con una determinada situación de juego su respuesta táctica es más rápida, ya que la decisión estará gobernada por el plano inconsciente del cerebro. Por el contrario, cuando la situación es desconocida el futbolista requerirá de más tiempo para responder, porque el plano consciente del cerebro será quien comande la reacción (Tamarit, 2007). McCrone (en Silva, 2008) determina que la acciones que requieren la participación de la parte consciente del cerebro llevan medio segundo. Durante el juego, es esencial producir reacciones efectivas inmediatas para resolver los problemas. Por ello, cuando un jugador identifica durante la competición una situación a la que ya se ha enfrentado durante el entrenamiento, puede anticipar la solución y sacar ventaja (Faria, en Campos, 2007). La repetición sistemática de los principios del juego permite el desarrollo de hábitos, mecanismos de anticipación y consolidar la manera pretendida de jugar (Oliveira *et al.*, 2007). En este sentido, es importante que los principios y subprincipios de la matriz de juego se repitan durante todas las semanas para mantenerlos vivos, ya que los jugadores los olvidarán si no son continuamente solicitados (Tamarit, 2007).

Por todo lo anterior, resulta crítico para el entrenador crear un proceso de enseñanza guiado (Ruiz Pérez, 1994) para que los jugadores afronten distintas situaciones específicas del fútbol que les ayuden a su desarrollo cualitativo. Este proceso intencional permitirá a los jugadores moverse de la esfera del "saber hacer" al "saber sobre saber hacer" (Frade, citado en Tamarit, 2013). De nuevo Frade (citado en Tamarit, 2013) dota a esta dirección de aprendizaje una gran importancia puesto que durante el "aprendizaje por repetición" el córtex frontal (parte racional) del cerebro es estimulado, mientras que durante el "aprendizaje por descubrimiento" el tallo del cerebro (que vincula las acciones con las emociones) se ve activado. Estudios previos basados en la neurociencia (Damasio, 1996; Punset, 2010) han documentado que las emociones tienen un papel fundamental en el proceso de enseñanza y aprendizaje, ya que forman parte de la percepción, toma de decisión, razonamiento, aprendizaje o memorización (Oliveira *et al.*, 2007), por lo que no podemos concebir la razón y la emoción como entidades diferentes (Damasio, 1996).

El *Principio de la Progresión Compleja* hace referencia a la necesidad de variar los estímulos a los que se someten los jugadores en el transcurso de los ciclos de entrenamiento, ya sean de larga o corta duración. La noción de complejidad se explicó con detalle en el aparatado I.2 de este libro, representando una aproximación holística al proceso y no siendo concebida únicamente como la dificultad o complicación de un determinado evento (Morin, 1994). Faria (citado en Tamarit, 2007) clarifica este término y su aplicación al contexto del fútbol al definirlo como "acciones de comportamiento de una determinada manera de jugar". Así mismo, la idea de progresión también debe estar relacionada con la visión sistémica del entrenamiento, que configura un proceso no lineal que lleva a una mejora de la calidad de juego (Tamarit, 2013). Por ello, la complejidad de las situaciones planteadas durante las sesiones debe ser alternada durante la temporada para alcanzar niveles adecuados de enseñanza y aprendizaje que, en última instancia, llevarán a los jugadores a adquirir los principios del Modelo de Juego pretendido por el entrenador. Esta progresión se puede lograr por el ordenamiento de los principios del juego de acuerdo con su importancia, para así poder evitar posibles interferencias entre ellos (Gaiteiro, 2006, en Tamarit, 2007).

Como se indicó anteriormente, la progresión puede aparecer en dos niveles diferentes pero interrelacionados: durante la temporada (a largo plazo) o durante la semana/sesión de entrenamiento (corto plazo). Con una perspectiva a largo plazo, las primeras semanas de la temporada deben dedicarse a la organización jerárquica de los principios y subprincipios de juego en cada uno de los cuatro momentos del fútbol. Al comienzo, los principios más genéricos y menos complejos pueden ser introducidos en el entrenamiento y, una vez los jugadores los van asimilando, los principios de carácter más específico y complejo pueden añadirse. No hay una progresión estándar ya que esto dependerá del nivel, capacidades y hábitos de los futbolistas que forman la plantilla de cada equipo (Tamarit, 2013).

Con una perspectiva a corto plazo, la complejidad de los principios se debe organizar en el plan semanal y en la sesión diaria. Este proceso requiere tener una clasificación detallada de los principios del juego, lo que permitirá su apropiada secuenciación y articulación durante el entrenamiento. Tal y como se mostró en la Figura III.1, los grandes principios se pueden descomponer en conceptos menores para reducir su complejidad y ser más tarde reintegrados, evitando así su separación de la idea global de juego. Es el propio entrenamiento el que permite desarrollar la competición y no al revés ya que, al combinar y coordinar los principios de juego se alcanza una determinada forma de jugar (Frade, 2013, en Couto, 2018).

Las reglas de las tareas se utilizan para constreñir la emergencia de determinados tipos de comportamientos. Para poder llevarlo a cabo, Tamarit (2013) afirma que la relación entre esfuerzo y recuperación emocional en los ejercicios es esencial. De manera adicional, este autor identifica las siguientes características que se deben considerar cuando se examina la complejidad de un ejercicio:

- ‣ Articulación de los principios y subprincipios.
- ‣ Subdinámica del esfuerzo y patrón preferencial de la contracción muscular.
- ‣ Espacio de juego.
- ‣ Duración del ejercicio.
- ‣ Número de jugadores participantes.

La organización de progresiones complejas en el transcurso de la semana se relaciona estrechamente con el *Principio de Alternancia Horizontal en especificidad*. Couto (2018) destaca que, en este caso, la palabra especificidad se escribe en minúscula ya que se la considera en una escala menor del concepto. La gestión de los contenidos de entrenamiento durante la semana se basa en las leyes clásicas de la biología. La mayor diferencia con la manera en que estas leyes se han tratado en los manuales clásicos del entrenamiento reside en la diferencia en los conceptos de cargas y rendimiento, ya que Frade (2014, citado en Couto, 2018) sentencia en primera persona, "no me gusta nada el término cargas. Para mí quien anda con cargas son los burros". Por este motivo Frade refuerza el diálogo entre rendimiento y recuperación a la hora de organizar la distribución de los contenidos durante la semana.

Cada uno de los contenidos de entrenamientos, o cargas funcionales según Couto (2018), debe tener una dirección diferente y generar un tipo distinto de fatiga (parabiosis). El propósito de todo el proceso es que el efecto retardado de los rendimientos colectivos garantice la identidad futbolística del equipo. Para poder lograr esta exaltación, los contenidos deben administrarse en aquellos periodos donde la capacidad de los futbolistas esté exacerbada, después de que los adecuados períodos de recuperación hayan permitido la reestructuración de los sistemas. El elemento crítico reside en saber cuándo el equipo está completamente recuperado del anterior agente estresor. Bajo el prisma de la Periodización Táctica, la recuperación debe ser considerada a escala colectiva y, por ello, sólo cuatro días después del partido el equipo estaría preparado para un nuevo esfuerzo máximo (Couto, 2018). Amieiro (2014, citado en Couto, 2019c) resalta que algunos jugadores se pueden recuperar en dos o tres días de la competición, pero el proceso de entrenamiento debe estandarizarse para todo el equipo y es por lo que sugiere respetar la "regla de los cuatros días" para garantizar la recuperación de la totalidad de la plantilla.

De manera muy similar a lo anteriormente definido por Tamarit (2013), Maciel (en Tamarit, 2013) explica que las características esenciales para organizar el plan semanal deberían ser:

(a) El nivel de la complejidad de los principios, subprincipios y subsubprincipios.

(b) El régimen de contracción muscular predominante (tensión, duración o velocidad)

(c) La dimensión estratégica, que dependerá del número de días entre dos partidos, para permitir la recuperación emocional y del esfuerzo.

Frade (citado en Tamarit, 2007) resume de manera concisa este principio afirmando que implica "estar siempre en Especificidad sin estar en el mismo nivel de Especificidad". Por ello, el juego de un equipo se desarticula en el transcurso de la semana, para facilitar su reintegración y construcción de cara al siguiente partido de competición. Esto garantiza que distintos niveles de organización sean abordados cada día del Morfociclo, asegurando una óptima regeneración sin sobrecargar las mismas estructuras (Silva, 2008; Tamarit, 2007). El entrenamiento diario se centra en una diferente dominancia con la solicitación de un patrón muscular preferencial, abrazando el Modelo de Juego del equipo y gestionado el equilibrio entre propensiones y recuperación. La adopción de esta aproximación conlleva la estabilización del rendimiento, generando un modelo de periodización compatible con el largo período competitivo característico del fútbol (Carvalhal *et al.*, 2014; Delgado y Méndez, 2018). Al repetir de manera consecutiva este patrón regular semanal se desarrolla el Morfociclo. Esta organización del entrenamiento será explicada con mayor detalle en el siguiente apartado, ya que representa otro de los elementos esenciales que caracteriza a la Periodización Táctica.

A modo de conclusión sobre los principios metodológicos, se puede utilizar la reflexión de Frade (2013, citado en Couto, 2018) que aclara su visión al respecto:

> *Mucha gente dice que el primer principio es el de Especificidad. No, ¡no lo es! Es el patrón de la conexión de los tres principios metodológicos que lleva hacia la concretización metodológica de la Especificidad, es decir, la presentación ininterrumpida del Morfociclo. La Especificidad como categoría existe en otro plano, el conceptual, no en el metodológico. Es el futuro y las consecuencias, es la emergencia que trae la Especificidad, ¡y no de una vez por todas!*

III.4 EL MORFOCICLO

La unidad principal de planificación en la Periodización Táctica es el Morfociclo, que es una representación fractal de la filosofía de entrenamiento. Como explica Couto (2018), el Morfociclo contiene toda la complejidad de la metodología, por lo que lo considera como la "célula madre" o el "núcleo duro" de la Periodización Táctica.

Etimológicamente, la raíz de esta palabra (morph-) viene del Griego μορφ-, que se podría traducir como forma. De modo adicional, en este contexto específico, el ciclo representa el tiempo entre dos partidos sucesivos de competición que, para la mayoría de los equipos, será de siete días de duración. Frade (citado en Tamarit, 2013) refuerza la importancia de este concepto ya que "la lógica de la Periodización Táctica se basa en la creación del Morfociclo, que se sustenta en los principios metodológicos y permite la operacionalización de la manera de jugar". Esta unidad de entrenamiento se utiliza para jerarquizar la presentación de los principios del juego durante la semana y para crear contextos de ejercitación que permitan experimentar y mantener viva la matriz del juego del equipo (Amiero, en Couto, 2019c).

La repetición consecutiva de esta estructura de planificación tiene como objetivo estabilizar el rendimiento del equipo durante la temporada, que se manifiesta de manera específica por la manera de jugar. Esta es otra diferencia esencial con otras filosofías ya que en la Periodización Táctica no se buscan oscilaciones en el jugar, es decir, alcanzar picos de rendimiento en determinados momentos de la temporada. Rui Faria (citado en Oliveira *et al.*, 2007) explica de una manera más detallada esta idea en una entrevista del año 2003:

> *La existencia de los denominados picos de forma está, en nuestra opinión, asociada a una manera de entrenar diferente a la nuestra. Los picos de forma son característicos de modalidades deportivas en las que es necesario un largo período de preparación y un corto período de competición. En el fútbol, teniendo una competición que dura diez meses y el período de preparación corresponde a un mes o mes y medio, no es importante este pico, lo que conviene es mantener al equipo durante el período competitivo con la máxima rentabilidad, sin grandes oscilaciones.*

Al hilo de lo anterior, Mourinho (en Oliveira *et al.*, 2007) cree que el mejor indicador de la forma deportiva es la manifestación de la organización del equipo de manera regular. Para ser capaz de lograr esta óptima estabilidad en el juego es necesario crear un patrón semanal de entrenamiento, el Morfociclo, que se repite desde el principio al final de la temporada (Tamarit, 2013). Maciel (en Tamarit, 2013) va más allá al afirmar que esto no sólo permite la estabilización de una determinada forma de jugar sino también su progresión, ya que pueden emerger nuevas interacciones que permiten la evolución del Modelo de Juego. La estructura dinámica de los ciclos semanales se basa en la organización de los contenidos, de la recuperación entre ellos y del número y duración de las unidades de entrenamiento (Oliveira *et al.*, 2007).

La distribución de la carga durante el Morfociclo representa otra diferencia fundamental con otras estrategias convencionales de organización del entrenamiento. El volumen y la intensidad tienen un papel diferente en la Periodización Táctica, con el volumen perdiendo su tradicional prioridad en las fases tempranas de la temporada. Bajo esta concepción, se requieren intensidades máximas relativas desde el primer día, tal y como Mourinho (en Oliveira *et al.*, 2007) explica:

> *Existe la idea común de que la pretemporada difiere de la temporada competitiva en cuanto al volumen y a la intensidad del trabajo. Se habla de empezar con volúmenes elevados de trabajo, pero con intensidades bajas, para después, al aproximarse la competición, invertir esta lógica. Todo esto se ve desde un punto de vista físico. Yo no creo en eso, para mí, los dos períodos son iguales en todo. Lo que yo entiendo por intensidad difiere totalmente del significado*

que tradicionalmente se le atribuye. No consigo separar la intensidad de la concentración. Cuando digo que el fútbol necesita intensidades elevadas, lo digo teniendo en cuenta su complejidad y la necesidad permanente de concentración que se precisa. Parto del principio de que la mejor forma de recuperar las pérdidas de unas vacaciones, es trabajar desde luego con intensidades máximas relativas, asociadas a las características de nuestro juego. Por eso, no creo en el aumento de volumen, ni en la inversión de volumen por intensidad. Por ejemplo, lo que normalmente se llama resistencia aeróbica y que convencionalmente se dice que se adquiere con volumen de trabajo, también se consigue con la acumulación de las intensidades máximas relativas.

El concepto de intensidad adquiere, basado en la afirmación previa, un significado más amplio ya que se relaciona directamente con el contexto de la situación (Silva, 2014, en Couto, 2019b). No se trata únicamente de correr de manera aislada, sino de correr con una intención, ya que el futbolista debe ser capaz de extraer información del entorno, procesarla y generar una solución compatible con sus recursos y con los objetivos colectivos del equipo. Frade (2013, citado en Couto, 2018) expone:

Ellos [los que tienen un pensamiento convencional] dicen intenso cuando es veloz. Yo pregunto. ¿Cuándo el jugador va a marcar un penalty, no es intenso? Es por eso que yo llamo intensidad máxima relativa, es siempre máxima pero relativa en función de la complejidad contextual. Y con eso que tengo que jugar. (...) Disminuyo la complejidad en función de mecer en los espacios, el número de jugadores o incluso en la intervención.

Esto configura una lógica diferente en la Periodización Táctica donde la intensidad se considera como "intensidad de concentración" y el volumen como "volumen de intensidad de concentración", "volumen de intensidades máximas relativas" o "volumen de principios del juego" (Oliveira *et al.*, 2007). Por esta razón, el volumen de entrenamiento permanecerá igual desde la segunda hasta la última semana de la temporada, ocasionándose las diferencias por el aumento del tiempo de trabajo en intensidad y por la reducción de los intervalos de recuperación según avanza la temporada (Tamarit, 2007).

Basándose en esta idea, Castelo (2001, en Tamarit, 2007) sugiere que las sesiones de entrenamiento no deberían durar más de 90 minutos -incluyendo las pausas entre ejercicios-, con una única sesión por día para permitir que los jugadores recuperen de cara al siguiente día de entrenamiento. Mourinho (en Oliveira *et al.*, 2007) coincide con esta duración aproximada de la sesión y cree que el entrenador debe preocuparse en diseñar sesiones dinámicas con rápidas transiciones entre los ejercicios. Estas transiciones deben utilizarse para que los futbolistas recuperen activamente, al mismo tiempo que se consigue un mayor tiempo útil de ejercitación. Si la duración de la sesión se aumenta en exceso posiblemente se haga a cambio de una reducción en la calidad, puesto que los jugadores tendrán más problemas para mantener los niveles de concentración exigidos.

Un rasgo adicional de la Periodización Táctica en relación al entrenamiento convencional es la diferente noción de fatiga. Debido a la Especificidad del proceso, la fatiga física y mental no deben entenderse en dimensiones separadas (Tamarit, 2007). El entrenamiento en concentración solicita grandes demandas mentales y emocionales, más allá de lo que los jugadores están habitualmente acostumbrados, dando lugar al desarrollo de "fatiga táctica" (Oliveira *et al.*, 2007). Mourinho (citado en Oliveira *et al.*, 2007) coincide con esto al explicar:

> *La fatiga más importante en el fútbol es la fatiga central y no la física. Cualquier equipo profesional mínimamente entrenado, desde el punto de vista energético, resiste, con mayor o menos dificultad, un partido. La fatiga central es la que tiene que ver con estar permanentemente concentrado y que permite reaccionar inmediatamente y de forma coordinada ante la pérdida del balón.*

Complementariamente, la Periodización Táctica no utiliza la nomenclatura habitual de las capacidades físicas (fuerza, resistencia y velocidad) y se centra en las características de la contracción muscular. En este sentido, estas activaciones musculares pueden mostrar una dirección preferencial de acuerdo a la tensión, duración y velocidad de la contracción. Debe aclararse que estos componentes están siempre presentes en la activación muscular, aunque cada uno de ellos se puede privilegiar selectivamente por la manera en la que se configura el ejercicio o la sesión.

Cuando todo los aspectos anteriores se manejan de forma conjunta, se desarrolla una lógica operacional diferencial para configurar la organización del entrenamiento, que Tamarit (2003) resume de forma certera: "Concretar el Modelo de Juego (como Intención Previa) a través de los principios metodológicos es lo que permite emerger la Especificidad, y esto sólo se consigue con la presentación semanal del Morfociclo".

La primera semana de la temporada

Esta primera semana de la temporada puede mostrar algunas pequeñas diferencias con el Morfociclo Patrón y, por esta razón, sus características esenciales se mostrarán en el presente apartado. Como se explicó con anterioridad, la lógica de la Periodización Táctica es diferente a la de otras metodologías convencionales donde los componentes físicos y la acumulación de volumen de trabajo eran los objetivos prioritarios de los días iniciales. Por ello, desde el comienzo todo lo que se hace en la Periodización Táctica va enfocado hacia modelar la manera de jugar y el estilo de entrenamiento que serán característicos del resto de la temporada. Así, el Principio de Especificidad gobierna la dirección del entrenamiento desde el inicio del proceso.

El entrenador puede emplear los días iniciales para explicar los rasgos esenciales de la Idea de Juego que tiene en su mente, tratando de transmitir a los jugadores los elementos identificativos de su Modelo de Juego (como Intención Previa). Para facilitar este proceso el entrenador puede utilizar imágenes visuales para conseguir que todos los entendimientos individuales converjan en un punto de vista común (Faria, en Campos, 2007). Tamarit (2013) clarifica que lo que se pretende "es crear una imagen mental del juego que queremos adquirir y, poco a poco, corporalizarlo, es decir, permitir que las imágenes mentales surjan con emociones asociadas en nuestros jugadores".

Como todos los principios del juego han sido previamente jerarquizados, el entrenador tiene que centrarse en este estadío inicial en los grandes principios, respetando el Principio de la Progresión Compleja. El juego es desarticulado para permitir que los jugadores entiendan las situaciones y porqué se hace cada cosa, lo que les ayudará a adquirir los rasgos esenciales de la matriz conceptual del equipo (Carvalhal, en Tamarit, 2013). Resulta fundamental que los jugadores se conviertan en participantes activos de este proceso de aprendizaje ya que "únicamente el acto intencional es educativo" (Frade, citado en Tamarit, 2013).

Mourinho (citado en Oliveira *et al.*, 2007) siente que en esta primera semana los jugadores deben adaptarse a la especificidad del juego y describe una de sus previas experiencias de pretemporada de la siguiente manera: "…Los cuatros primeros días de trabajo sirvieron para que los jugadores se readaptasen al esfuerzo y, a partir de ahí comenzamos a trabajar como siempre, con intensidades máximas". De modo adicional, todos los principios metodológicos deben ser respetados desde el principio para crear un patrón similar de entrenamiento y competición al del resto de semanas de la temporada. Frade (citado en Tamarit, 2013) refuerza esta idea al afirmar que "el ser humano es un animal de hábitos, por lo que debe adaptarse al Morfociclo desde la primera semana".

A partir de Oliveira *et al.* (2007) y Tamarit (2007, 2013), los objetivos para la primera semana de la temporada se podrían resumir en:

▸ Presentar el Modelo de Juego (como Intención Previa) a los jugadores para que puedan crearse una imagen mental del mismo e interiorizarla.

▸ Lograr una adaptación conceptual al pensamiento táctico (intensidad de concentración) y a la lógica de entrenamiento.

▸ Desarrollar relaciones afectivas y emocionales en el equipo; los jugadores deben conocerse los unos a otros y comenzar a establecer vínculos comunes.

▸ Adaptarse de manera gradual a los aspectos físicos y fisiológicos del Modelo de Juego: patrones motores, demandas energéticas, ratios de esfuerzo y recuperación, etc. específicos de la manera de jugar.

El Morfociclo Patrón

La gran mayoría de planes de entrenamiento descritos hasta la fecha para el deporte del fútbol han abarcado únicamente el componente físico del rendimiento. Como se ha ensalzado anteriormente en distintas partes de este libro, la concepción holística del futbolista y del fútbol rechaza el tratamiento aislado de las dimensiones y pone énfasis en la importancia que los componentes mentales y emocionales tienen en el rendimiento. Esto lleva a que cuerpo y mente o músculo y cerebro no puedan ser considerados como entidades independientemente y deban ser las dos caras de una misma moneda, puesto que "educar no es meramente desarrollar los músculos, sino habituar el cerebro a comandar el cuerpo" (Castelo, citado en Tamarit, 2007). Por ello, es la responsabilidad del entrenador guiar el entrenamiento para favorecer ciertas direcciones en momentos concretos de la semana, respetando el Principio de Alternancia Horizontal en Especificidad.

Tal y como se indicó, la estructura del Morfociclo se introduce tan pronto como sea posible al comenzar de la temporada, para asegurar la adaptación a la manera de jugar y a las demandas metabólicas que ésta exige, al mismo tiempo que se persigue lograr una estabilización en los comportamientos mediante el desarrollo de hábitos. Este proceso se puede empezar a desarrollar ya desde la segunda semana de la pretemporada, después de los primeros días de adaptación al retomar los entrenamientos tras del descanso vacacional. Bajo la perspectiva de la Periodización Táctica el período preparatorio tampoco sigue la concepción convencional, ya que el objetivo es crear una estructura de entrenamiento que va a ser respetada durante todas las demás semanas de la temporada (Frade, en Tamarit, 2013). Por esta razón, no existen grandes diferencias entre la pretemporada y el período competitivo en esta metodología, tal y como Mourinho (en Oliveira *et al.*, 2007) detalla:

A partir del segundo microciclo semanal de la temporada, y estoy hablando del período al que convencionalmente llamamos período precompetitivo, los microciclos son básicamente iguales hasta el final de la temporada, tanto a nivel de los principios y objetivos de trabajo como a nivel físico. Sólo a nivel de la dominancia táctico-técnica hago modificaciones en los elementos a potenciar, en función de las dificultades sufridas en el partido anterior y analizando el próximo. (…) A partir de la segunda semana son ciclos semanales que se repiten. Por lo tanto, sólo utilizo ciclos semanales. Mis "líneas maestras", en cuanto al patrón semanal de preparación física, son iguales en el mes de julio a las de abril del año siguiente.

La interacción entre el entrenamiento y la competición es fundamental, puesto que el entrenamiento permite desarrollar el tipo de juego que queremos que el equipo manifieste en la competición, al mismo tiempo que los partidos de competición retroalimentan lo que necesitamos hacer durante el entrenamiento (Oliveira, en Silva, 2008). Esto configura una dimensión estratégica peculiar para operacionalizar el Morfociclo. El plan semanal no se puede aislar del entorno: de dónde viene el equipo (el anterior partido de competición) y hacia dónde va (el siguiente encuentro), que sirven como referencias inexorables del programa. La receta tradicional apriorística, en la que el entrenador sabe de antemano lo que va a hacer durante las siguientes semanas y meses es inconcebible en la Periodización Táctica, puesto que se trata de un sistema abierto y dinámico continuamente sujeto a interacciones con el entorno. Esto hace que los planes a largo plazo sean irrelevantes en esta metodología porque todo tiene que estar pensado y desarrollado con una frecuencia diaria. De manera adicional, los preparadores físicos que intervienen en la sesión pero no asisten a los partidos de competición o que no evalúan holísticamente el rendimiento del equipo en la competición, están perdidos en cuanto a las necesidades específicas que sus equipo demandan.

El Morfociclo Patrón se repite durante la temporada y depende del número de partidos oficiales que se disputen cada semana. En este sentido, el caso más habitual es aquel en el que un equipo compite cada Domingo y, por ello, el Morfociclo tiene una duración de siete días: de Lunes a Domingo. De la misma manera, si los partidos se disputasen cada Sábado el Morfociclo iría de Domingo a Sábado. A partir de esta distribución podemos profundizar en situaciones más particulares que requerirían mayores consideraciones. Por ejemplo, un equipo que compite dos veces por semana, como sucede en aquellos equipos que toman parte en un torneo doméstico los fines de semana y en una competición internacional a mitad de semana, seguirían una estructura de entrenamiento adaptada, el Morfociclo Excepcional, que se explicará en detalle en el siguiente apartado.

Tomando como referencia el escenario más habitual, el caso de equipos que compiten de Domingo a Domingo, el principal objetivo de las primeras 48 horas tras el partido sería asegurar una apropiada recuperación de los jugadores. La parte central de la semana -Miércoles, Jueves y Viernes- formarían la fase adquisitiva (o fase de aprendizaje táctico, en Delgado y Méndez, 2018), mientras que el último día de entrenamiento -Sábado- debe asegurar la recuperación del trabajo de los días previos al mismo tiempo que preparar al equipo para la competición del Domingo (Figura III.2). En el hipotético caso de que el equipo compitiese cada Sábado, sería cuestión de ir adaptando los objetivos de cada día de la semana sobre este nuevo calendario competitivo, pero manteniendo siempre los mismos criterios a la hora de organizar el Morfociclo.

Domingo	Lunes	Martes	Miércoles	Jueves	Viernes	Sábado	Domingo
PARTIDO	LIBRE	REC. ACTIVA	FASE ADQUISITIVA			REC. + ACT.	PARTIDO

Figura III.2 El Morfociclo Patrón (basado en Oliveira et al., 2007; Tamarit, 2007, 2013). REC: Recuperación; ACT: Activación.

Día 0 – Domingo: Competición

El partido de competición es el eslabón que une dos Morfociclos consecutivos. Por un lado, debe utilizarse para evaluar el rendimiento del equipo y el efecto de las sesiones de entrenamiento previas. Por otro lado, dibuja el paisaje que contextualizará la siguiente semana. Este día pertenece al Morfociclo previo, pero debe permanecer siempre como referencia para comprender la distribución de los contenidos durante los siguientes días.

Día 1 – Lunes: Libre

Después de jugar un partido de competición el Domingo los jugadores tiene el Lunes como día libre. Esto no supone una regla universal para todas las circunstancias, ya que hay momentos en los cuales los elementos logísticos están por encima de los deseos del entrenador. El disponer del día libre tras el episodio más intenso de la semana -el partido- es una declaración de intenciones de esta metodología de entrenamiento respecto a la normativa convencional imperante, puesto que suele ser muy frecuente que los equipos realicen una sesión de recuperación el día después del partido y tengan el día siguiente de descanso total, 48 horas después de la competición. Diversos estudios científicos basados en el paradigma tradicional han revelado cómo ciertos marcadores fisiológicos y bioquímicos muestran una mejor recuperación si el entrenamiento se lleva a cabo en las 24 horas posteriores a la conclusión del partido (Ascensão *et al.*, 2011; Baldari *et al.*, 2004; Kinugasa y Kilding, 2009). Esta es la fundamentación por la que muchos equipos entrenan el día después de los partidos, amparados únicamente en la perspectiva física del rendimiento.

Este tipo de estudios perpetúan la disociación entre la fatiga física y la mental/emocional. En cualquier caso, la mente ocupa un lugar protagonista en la lógica de la Periodización Táctica, por lo que la recuperación debe ser considerada de manera holística e incluir también los aspectos mentales y emocionales del deportista (y del entrenador). Después de un partido de competición el jugador está físicamente, y más importante, mentalmente fatigado. Si el partido ha tenido además fuentes adicionales de stress como un marcador apretado, presión ambiental, polémica, etc. los componentes emocionales se habrán visto ampliamente solicitados. Bajo estas circunstancias que conllevan una elevada descarga hormonal el futbolista tiene dificultad para conciliar el sueño después del partido. Mourinho (en Oliveira *et al.*, 2007) explica nítidamente su punto de vista sobre este tema:

Cuando la semana tiene solo un partido, doy descanso al día siguiente. Pues sé que desde el punto de vista fisiológico se dice que no es lo más correcto, pero sí desde el punto de vista mental. Y para mí también lo es porque no me gusta trabajar el día siguiente a un partido, me cuesta dormir, me cuesta levantarme, concentrarme, planificar, pensar, entrenar y en esos entrenamientos paso más tiempo paseando de un lado para otro que entrenando. A los jugadores les pasa lo mismo. Se engaña quien piense lo contrario. Desde el punto de vista fisiológico, es mejor entrenar al día siguiente, aunque no les guste a los jugadores, no se sienten bien. Es mejor para el cuerpo pero peor para la cabeza. ¡Tenemos que ver esta cuestión desde un punto de vista global!

Otro entrenador de alto nivel como Vítor Pereira concuerda completamente con las afirmaciones previas (Tamarit, 2013). Por este motivo, para facilitar la recuperación mental-emocional, las primeras 24 horas tras el partido los futbolistas tienen libre, retomando los entrenamientos el Martes.

Día 2 – Martes: Recuperación Activa

Resulta de sentido común que en este día (36-48 horas tras la competición) los futbolistas aún no estarán completamente recuperados del partido previo en el caso de haber jugado un elevado número de minutos en el mismo. Esto hace que los contenidos del entrenamiento de este día tengan que ser cuidadosamente seleccionados para evitar acrecentar el riesgo de sufrir lesiones, respetando que el principal objetivo de la sesión sea asegurar una adecuada recuperación activa del partido precedente. Por esta razón, este día debe asegurar los procesos de regeneración añadiendo una connotación de Especificidad, lo que implica que "los contenidos de entrenamiento deben ser los mismos contenidos para entrenar cuando el objetivo es la recuperación pero vivenciando [los principios, subprincipios, etc.] sin dinámica" (Frade, en Tamarit, 2007).

El contexto para facilitar la recuperación tiene que incluir características del Modelo de Juego, siendo específico al patrón de juego y acción. Por ello, el Martes se puede emplear para introducir a los jugadores a la estructura semanal de entrenamiento a través de principios y subprincipios más generales y menos complejos que pueden estar relacionados con el partido previo e, incluso, el siguiente, pudiendo incluir situaciones sin o con poca oposición (Oliveira, en Silva, 2008).

Pereira (en Tamarit, 2013) revela una interesante apreciación en este sentido, ya que durante sus experiencias prácticas detectó que los jugadores tenían problemas para concentrarse este día en determinadas fases de la temporada, manifestando "fatiga táctica". Para combatirlo, organizó los entrenamientos de los Martes bajo formas más jugadas y lúdicas. Al adoptar este enfoque las demandas mentales de las tareas se ven reducidas, ayudando a la recuperación del sistema nervioso y a la capacidad de toma de decisiones en el juego, lo que resulta fundamental para la Especificidad (Silva, 2008). Reducir o eliminar condicionantes en este día puede ayudar a que los futbolistas recuperen sus instintos primitivos asociados al "juego de la calle", que define la esencia del deporte. Este tipo de juegos incentiva la creatividad, alegría, placer y toda clase de emociones positivas, al mismo tiempo que estimulan la segregación de dopamina, endorfina y otras hormonas (Frade, 2013, en Couto, 2018).

La ejercitación en la sesión del Martes tiene que estar muy fragmentada, con mayores tiempos de recuperación y con una reducción de las solicitaciones de tensión, duración y velocidad en las contracciones musculares (Tamarit, 2007). En una publicación más reciente, Tamarit (2013) explica que la contracción muscular de este día debe estar caracterizada por una alta tensión durante una muy breve duración, es decir, con una densidad reducida, únicamente instantes muy pequeños de tensión.

Frade (en Tamarit, 2013) opina que para mejorar el proceso de recuperación las vías energéticas deben ser estimuladas de una manera similar a cómo lo hace la competición. En otra palabras, si la competición demanda una combinación bioquímica específica -caracterizada por una alternancia de las vías aeróbica, anaeróbico láctica y anaeróbico aláctica- la recuperación no se puede alcanzar si solo se estimula uno de estos metabolismos, como se ha venido realizando de manera tradicional en los equipo de fútbol, donde los futbolistas realizan series de carrera continua a baja velocidad alrededor del terreno de juego. El empleo de métodos extensivos de carrera con fines de recuperación es criticado por Couto (2018), ya que los repetidos impactos idénticos que solicita este tipo de patrón locomotor genera una sobrecarga adicional en las estructuras responsables del movimiento.

Carvalhal (en Silva, 2008) y Frade (en Tamarit, 2013) refuerzan esta idea de recuperar en Especificidad, siendo necesario que los jugadores realicen un patrón de esfuerzo similar al de la competición, pero con una menor dosis y con mayores pausas entre medias. Para lograr este aspecto se debe reducir el espacio, el tiempo y las necesidades de concentración en los ejercicios. De esta manera, los metabolismos se solicitan de manera específica y la recuperación se optimiza. Carvalhal *et al.* (2014) resumen su aproximación sobre cómo enfocar el entrenamiento en el segundo día tras la competición de la siguiente manera:

> *Creemos que la mejor manera de recuperar es demandar las mismas estructuras que solicita el partido. Por ello, este día cubrimos algunos de los subprincipios en situaciones discontinuas, con frecuentes interrupciones para que los jugadores recuperen. No dejamos de abordar nuestro estilo de juego, particularmente los subprincipios, con alta intensidad y períodos cortos de ejercitación, con unos pausas un poco más largas y una mayor reducción en velocidad, tensión y duración de las contracciones musculares.*

Frade (2013, en Couto, 2018) aporta algunas pistas más sobre cómo organizar las situaciones de juego el Martes, que deben estar basadas en juegos reducidos con, de manera ideal, tres jugadores por equipo. Estas situaciones de tres contra tres se justifican porque aseguran una participación e interacción óptima entre todos los jugadores que forman parte del juego. En cualquier caso, hay muchas veces en las que el entrenador tiene que incluir más jugadores en cada equipo porque el número total de futbolista en la plantilla así lo aconseja. La duración de cada juego debe ser de en torno a un minuto y medio o dos minutos, con una recuperación de hasta cinco veces el tiempo de ejercitación. Durante esta recuperación activa los jugadores puedan realizar actividades complementarías como rondos, fútbol-tenis o, incluso, ejercicios compensatorios de movilidad o estiramientos. De manera global, esto se traduce en que los futbolistas juegan a su máxima intensidad relativa durante 1/6 parte del tiempo, mientras que los restantes 5/6 lo dedican a eventos de recuperación activa mediante situaciones complementarias.

Como se indicó anteriormente, desde un punto de vista estratégico, los contenidos de entrenamiento del Martes deben estar relacionados con lo que sucedió en el partido previo de competición: resultado, viaje, superficie de juego, traumatismos, fuentes adicionales de stress, etc. y, sobre todo, minutos jugados por cada futbolista. Esto es fundamental, ya que el entrenamiento no debe ser igual para un jugador que disputó los 90 minutos en el partido previo que para aquellos que jugaron poco e incluso no participaron en el mismo. Estos jugadores con menor exposición a la competición deben incluir contenidos de entrenamiento similares al juego real este día, aunque en una dosis inferior.

Día 3 – Miércoles: Subprincipios y subsubprincipios con una dominancia de Tensión en la contracción

El principal objetivo de las primeras 48 horas tras el partido era asegurar la recuperación de los futbolistas, mientras que a partir del tercer día en adelante el objetivo es operacionalizar y adquirir ciertas características del estilo de juego. Estas situaciones solicitan demandas emocionales más elevadas en los jugadores en relación a los días previos, ya que las actividades de entrenamiento tienen una mayor similitud con las dinámicas colectivas y la organización del juego (Silva, 2008). En cualquier caso, como los jugadores no están aún recuperados del todo tres días después del partido, especialmente desde el punto de vista emocional (Mourinho, en Oliveira *et al.*, 2007), los contenidos del entrenamiento deben adaptarse al estado mental de los futbolistas. Es por esto que para asegurar la parabiosis individual y colectiva del partido anterior, Couto (2018) afirme que 3/4 partes del entrenamiento del Miércoles deben tener un objetivo de recuperación mientras que el 1/4 restante debería dedicarse a contenidos adquisitivos fundamentales, con un enfoque individualizado.

Al desarticular el Modelo de Juego durante el Morfociclo la prioridad del Miércoles se centra en los subprincipios y subsubprincipios de la manera de jugar, lo que representa una menor complejidad de las situaciones. Estas unidades menores de los principios se desarrollan bajo niveles de relación sectoriales, grupales e individuales, representando una fracción intermedia del jugar (Silva, 2008). La dinámica de los esfuerzos en los ejercicios estará caracterizada por una alta tensión, corta duración y una importante velocidad en la contracción muscular. Por ello, la tensión debe ser la característica muscular predominante en las situaciones diseñadas para esta sesión, logrando dicha tensión por la presencia de un elevado número de contracciones excéntricas, como sucede durante las aceleraciones, desaceleraciones, cambios de dirección, saltos o tiros a portería.

La manera de garantizar la predominancia de este patrón contráctil es mediante el diseño de tareas en espacios pequeños con cortas duraciones e involucrando un reducido número de jugadores, para que la densidad global de las contracciones musculares tensas sea elevada (Tamarit, 2007). Esta configuración permitirá a los futbolistas ejercitarse a su intensidad máxima relativa, siempre y cuando se garantice un adecuado período de recuperación entre las series y los ejercicios. Frade (en Tamarit, 2013) cree que cuando los ejercicios se organizan mediante esfuerzos discontinuos el metabolismo anaeróbico láctico se convierte en la vía predominante, ya que las largas pausas entre los esfuerzos favorecen los procesos de recuperación. La gestión de los tiempos de esfuerzo y recuperación es esencial; si los períodos de esfuerzo son demasiado largos o las pausas excesivamente cortas, los efectos del entrenamiento variarán llevando a la acumulación de lactato, con la subsiguiente limitación del rendimiento (Frade, en Tamarit, 2013).

En un reciente revisión del tema, Couto (2018, 2019a,b,c) aportó luz sobre cómo organizar los contenidos de entrenamiento en el Morfociclo Patrón (Figura III.3). En lo que respecta al Miércoles, tal y como se indicó previamente, se deben combinar situaciones fundamentales individualizadas, que se constriñen para asegurar una elevada densidad de tensiones máximas, con juegos adquisitivos complementarios enfocados al desarrollo de interacciones tácticas en las escalas medias (meso) y pequeñas (micro) del jugar. Couto (2018) explica que no es posible lograr la máxima tensión individual de elongación en el ciclo de estiramiento-acortamiento sólo con situaciones jugadas por lo que, junto a otros autores, aboga por el diseño de contextos que exijan este peculiar patrón muscular. En este sentido, Carvalhal (citado en Couto, 2019a) describe un ejercicio para satisfacer este objetivo:

La preocupación es esa misma, que los jugadores salgan rápidamente, tengan un momento de explosividad, retrocedan, vuelvan a acelerar rápidamente, rematen en potencia, y lo más rápido posible vengan a entregar el peto al que va a salir en seguida.

Amieiro (2014, citado en Couto, 2019c) presenta otro ejemplo práctico para ilustrar cómo organiza los contenidos fundamentales de entrenamiento el Miércoles:

Yo hago mucho, por ejemplo, algo que yo llamo de "arranques y frenadas" que son diez acciones máximas en las que los jugadores saltan para cabecear, arrancan fuerte y frenan inmediatamente cuando hay una señal, todo esto en un espacio de tres segundos (…) Y yo, ahí, garantizo que, de hecho, todos pasan por eso. ¡Eso es fundamental! O puedo hacer, por ejemplo, finalizaciones simples con remates en potencia. O puedo hacer rondos en espacio muy reducido, por ejemplo cuatro contra uno donde quien está dentro está por ejemplo 10-15 segundos y tiene que robar el número máximo de balones posible.

	Lunes	Martes	Miércoles	Jueves	Viernes	Sábado	Domingo
	Libre	Recuperación	Recuperación y Adquisición Individual Específica	ADQUISICIÓN ESPECÍFICA	Recuperación y Adquisición Individual Específica	Recuperación Dirigida	Rendimiento Colectivo
C		Facilitación "Analítica"	Situación Jugada (A)	Facilitación Recuperación	Situación Jugada (D)	Facilitación "Analítica"	
F		Juego ± 4v4	Máxima Tensión Extensible Individualizada	Macroreferentes colectivos del juego	Máxima Velocidad de Contracción Individualizada		
C		Facilitación Jugada	Situación Jugada (B)	Facilitación Recuperación	Situación Jugada (E)	Recuperación en "Estado de Alerta"	PARTIDO
F		Juego ± 4v4	Máxima Tensión Extensible Individualizada	Macroreferentes colectivos del juego	Máxima Velocidad de Contracción Individualizada		
C		Facilitación Jugada	Situación Jugada (C)	Facilitación Recuperación	Situación Jugada (F)		
F		Juego ± 4v4	Máxima Tensión Extensible Individualizada	Macroreferentes colectivos del juego	Máxima Velocidad de Contracción Individualizada		
C		Facilitación "Analítica"	Facilitación "Analítica"	Facilitación "Analítica"	Facilitación "Analítica"	Facilitación "Analítica"	

Figura III.3 "Patrón algorítmico" del Morfociclo (basado en Couto, 2018)
F: Situaciones de ejercitación fundamentales. C: Situaciones de ejercitación complementarias.

Los futbolistas deben estar convenientemente preparados desde el calentamiento para poder lograr esta máxima tensión de alargamiento pretendida, con ejercicios dirigidos hacia la mejora de la relación entre el jugador y su cuerpo, lo que ayuda a incrementar los grados de variabilidad en el movimiento (Carvalhal, en Couto, 2019a). El entrenador debe ser creativo para diseñar estos contextos de ejercitación y asegurar que todas las repeticiones sean realizadas a la máxima intensidad relativa, para que se logre alcanzar el objetivo de la sesión. La inclusión de situaciones competitivas puede contribuir a que se logre esta dominancia en la contracción muscular.

Los períodos de máxima tensión individualizada deben ser complementados con una variedad de situaciones jugadas, que pueden tener una estructura similar a las del Martes. La aproximación que algunos técnicos han llevado a la hora de diseñar estas situaciones de juego reducidas puede haber llegado a malos entendidos sobre la fundamentación de la Periodización Táctica, por lo que Amieiro (2014, citado en Couto, 2019c) clarifica:

> *Mi lógica del Miércoles pasaba por tener la certeza que todos tenían una densidad significativa del patrón de contracción muscular que yo quería maximizar, y hacía situaciones más "analíticas", que me permitían tener ese control. Y después, pasaba por situaciones más jugadas, donde mantenía el mismo patrón de contracción muscular. ¡Y aquí es donde está el error! Porque aquello que yo pretendo en el Miércoles, es maximizar por un lado y, por otro, descansar. Entonces yo no puedo maximizar y, después, pasar a cosas donde yo quiero fabricar mi jugar, manteniendo el mismo patrón de contracción muscular, ¡porque no voy a estar descansado! Ahí es donde está el error. Pero es un error que las personas cometen por querer, en todos los días, fabricar de manera exhaustiva su jugar.*

Por su fraccionamiento, la sesión del Miércoles puede ser la más larga de la semana. Es por ello que en determinados momentos de la temporada, especialmente en el comienzo cuando los jugadores pueden manifestar problemas para mantener intensidades máximas relativas durante las tareas, el entrenador puede dividir la sesión en dos partes: una por la mañana y otra por la tarde. Frade (en Tamarit, 2013) enfatiza que hacer esto no significa entrenar el doble, sino organizar el entrenamiento en dos módulos para facilitar la recuperación y la adaptación.

Llegados a este punto, es importante destacar que lograr una contracción muscular característica de manera aislada no debe ser la referencia a la hora de diseñar los ejercicios, ya que el objetivo principal es incentivar la articulación de los subprincipios y subsubprincipios del Modelo de Juego del equipo. Probablemente, esto haya llevado a confusión en algunos textos y presentaciones sobre el tema, de las cuales algunos técnicos han inferido que como el Miércoles es el día de la tensión, en este día lo importante es diseñar ejercicios que demanden una gran cantidad de contracciones excéntricas en los jugadores, sin importar que éstas sean ajenas a la Especificidad del juego. Del mismo modo, Frade (en Tamarit, 2013) muestra su preocupación por la manera en que algunas personas han entendido sus ideas y hayan asociado tensión a fuerza, duración a resistencia y velocidad a velocidad como cualidad física, como si cada día de entrenamiento pretendiese desarrollar una capacidad diferente de manera aislada. Esto se aleja de la lógica de la Periodización Táctica, donde todo debe estar relacionado con la manera de jugar del equipo siempre en el búsqueda de "interacciones intencionales" (Frade, citado en Tamarit, 2013).

Sirva esta aclaración para no confundir el fin con los medios. Los futbolistas pueden desarrollar la fuerza de manera indirecta los Miércoles a través de la práctica de los principios menores del concepto del jugar, ya que estas situaciones demandarán sucesivas secuencias de acelerar-frenar, saltar-recepcionar, cambiar de dirección, etc. En cualquier caso, cada jugador desarrollará niveles específicos de tensión dependiendo de su puesto específico e intervención en la tarea. Para dar más claridad a esta idea, Frade (citado en Couto, 2018) explica:

> *No es para nada el día de la tensión, ¡ese no es el día de la tensión! Porque eso lleva a las personas estén preocupados con la tensión y entonces hacen lo que sea con tensión y ya está. ¡No! Es el día de los detalles, de los "pequeños" principios, de las pequeñas cosas de los planos más micro (…) siendo del ataque o siendo de la defensa pero con la garantía de que haya una densidad significativa de contracciones excéntricas, por lo tanto, ¡hay un aumento de la tensión, pero en pormenores, portadores del jugar! Tengo que estar preocupado por dar variabilidad al entrenamiento, en inventar y discurrir esas situaciones de juego, que son para el jugar que me interesa. Por tanto, tengo dos cosas: tengo que inventar eso y tengo que saber que la tensión está aumentada.*

En cualquier caso, algunos autores proponen no ser excesivamente dogmáticos puesto que hay cierto tipo de ejercicios de apariencia "analíticos", incluso realizados sin el balón, que pueden servir para mejorar determinados aspectos de la manera de jugar pretendida (Tavares, en Couto, 2018). Tal y como este autor expone, estos ejercicios deben estar integrados en una visión más global del proceso y amparados por la lógica de una progresión que les dotará de Especificidad. De nuevo, la dialéctica entre las escalas individual y colectiva adquiere un papel primordial que el entrenador debe manejar durante el Morfociclo, para que las adaptaciones individuales de los futbolistas converjan en la manifestación cualitativa de una interacción colectiva intencional (Couto, 2018). Según Carvalhal (en Couto, 2019a) un ejercicio puede ser altamente específico sin que necesariamente simule el juego, por lo que podemos diseñar ejercicios específicos para nuestra manera de jugar sin replicar todos los aspectos formales del juego.

Día 4 – Jueves: Grandes principios y subprincipios con una dominancia de Duración en la contracción muscular

Este es el día central de la semana y los jugadores deberían estar ya completamente recuperados del partido anterior, ya que este fue hace más de 72 horas. En cualquier caso, desde un punto de vista regenerativo, el siguiente partido debe aparecer ahora en el horizonte y ser también tenido en consideración.

La configuración del entrenamiento del Jueves debe replicar parcialmente las demandas de la competición, sin que esto signifique jugar un partido 11 contra 11 a campo completo. Es por ello que esta sesión presenta la mayor complejidad del Morfociclo puesto que la atención táctica se centra sobre los grandes principios y subprincipios de la organización colectiva, afectando a los cuatro momentos del juego. Por esta razón, Couto (2018) cree que las tareas fundamentales deben estar dirigidas hacia la adquisición de las referencias colectivas específicas (Figura III.3). La articulación de todos estos macroprincipios se lleva a cabo a escala colectiva, involucrando a todos, o casi todos, los jugadores del equipo (Oliveira, en Silva, 2008). Vivenciar y adquirir estos grandes principios llevará a los jugadores a una elevada fatiga mental-emocional, aunque nunca tan grande como la que se deriva de la competición oficial. Como se mencionó previamente, la dimensión estratégica también debe respetarse de acuerdo a las características del siguiente rival con el cual el equipo se enfrentará en la competición.

Las contracciones musculares de este día deben guardar una gran similitud con las demandas de la competición, con predominio de la duración y con la tensión y la velocidad ligeramente reducidas en relación a los días previos (Oliveira, en Silva, 2008). Puesto que la dinámica del juego es impredecible, nunca se podrá asegurar con absoluta precisión cómo se van a desarrollar las contracciones durante una tarea de entrenamiento, de modo que se debe privilegiar una determinada dirección para garantizar que se respeta el Principio de las Propensiones.

Las tareas de entrenamiento del Jueves deben construirse sobre espacios amplios, con duraciones más largas y la participación de un número mayor de futbolistas, para que puedan ocurrir interacciones colectivas. Como la dinámica del esfuerzo es similar a la de la competición, será el día con más continuidad de la semana. En cualquier caso, la adecuada distribución de las pausas ayudará a que los futbolistas se ejerciten a intensidades máximas relativas. Para conseguir este propósito, es mejor hacer cuatro series de diez minutos de una determinada tarea que dos series de 20 minutos (Frade, en Tamarit, 2013). Dividir la duración total del ejercicio en partes más pequeñas ayuda a que los futbolistas puedan mantener intensidades de concentración elevadas. Los tiempos entre los ejercicios deben permitir a los jugadores estar frescos y poder intervenir con espontaneidad en las siguientes series (Oliveira *et al.*, 2007). Mourinho (en Oliveira *et al.*, 2007) aporta su visión sobre cómo debe ser esta día explicando:

> *El entrenamiento del Jueves se desarrolla en espacios amplios con más movimiento, aproximándose a lo que puedo llamar "resistencia específica", aunque no tenga nada que ver con la idea tradicional de resistencia. ¡Yo no hago entrenamientos de resistencia! Para mí, resistir es adaptarse a un concepto de juego, es ser capaz de realizar las acciones colectivas e individuales implícitas de nuestra forma de jugar. La única cosa que hacemos es entrenar lo que hacemos durante un partido, en espacios amplios y semejantes a una situación real. Nuestra preocupación es encontrar contextos tácticos, situaciones de juego, que permitan una adaptación específica a nuestra forma de jugar. Lo que no hago es usar todo el espacio total del campo, pero esto tiene que ver con los contextos de propensión, con la necesidad de aumentar la densidad de determinadas cosas.*

De manera global, esta es la sesión semanal con una mayor demanda ya que exige una mayor movilización de las estructuras orgánicas (Maciel, en Tamarit, 2013). Es por esto que Frade (2006, en Couto, 2018) argumente que podría ser útil dividir la sesión en dos partes, una de mañana y otra de tarde, para facilitar la recuperación y mantener la concentración y el rendimiento.

Día 5 – Viernes: Subprincipios y subsubprincipios con una dominancia de Velocidad en la contracción muscular

Este es el último de los tres días adquisitivos de la semana, representando una menor fracción del jugar (Silva, 2008). La configuración de esta sesión de entrenamiento difiere de las anteriores ya que la próxima competición está más cerca (48 horas). Por esta razón Couto (2018) establece, de manera teórica, que 1/4 de la sesión se debe dedicar a objetivos adquisitivos mientras que las 3/4 partes restantes deben priorizar la recuperación de los futbolistas.

La complejidad de las tareas a diseñar el Viernes debe reducirse y los ejercicios centrarse en los subprincipios y subsubprincipios, a nivel intersectorial, sectorial y, especialmente, individual (Tamarit, 2013), lo que da lugar a multitud de acciones e interacciones (Maciel, en Tamarit, 2013). La proximidad del siguiente partido enfatiza la dimensión estratégica de la sesión, que puede incluir elementos coyunturales de acuerdo a las características del oponente a enfrentarse en la competición.

La velocidad caracteriza las activaciones musculares de este día, demandando tensión al inicio de la contracción pero siempre con una corta duración. Las pausas durante los ejercicios deben garantizar un patrón discontinuo, en un lugar intermedio entre el Miércoles (más discontinuo) y el Jueves (más continuo). Tamarit (2013) ensalza que los ejercicios en este día deben exigir desplazamientos a altas velocidades bajo un contexto individual, buscando una mayor velocidad en la contracción fibrilar. Como diferencia fundamental con la organización del entrenamiento del Miércoles, el Viernes no debe incluir una elevada densidad de contracciones excéntricas, por lo que acciones demandantes como los saltos, caídas, frenadas o aceleraciones deben intentar ser reducidos o eliminados de los ejercicios para evitar incrementos en la tensión.

Las demandas generales a niveles mental-emocional y físico del Viernes deben ser menores que las del Miércoles y el Jueves. Es por esto que el número de repeticiones de cada ejercicio debe disminuir. Las tareas de entrenamiento de este día deben tener menor oposición (siete contra tres, ocho contra cuatro) o incluso realizarse sin oposición (cinco contra cero, once contra cero) centrándose en la velocidad de ejecución (Silva, 2008; Tamarit, 2007).

Oliveira *et al.* (2007) explican que un tercio del tiempo de acción pertenece a la ejecución de un movimiento, mientras que los otros dos tercios se emplean en percibir y decidir. Por esta razón, estos autores creen que el entrenamiento del

Viernes debería centrarse en el tercio de la ecuación correspondiente a la velocidad de ejecución. Los dos tercios adicionales se hayan incluidos en los objetivos de entrenamiento de otros días de la semana ya que representan la cultura táctica del futbolista, en otras palabras, la discriminación e identificación de situaciones, que pertenecen a la esfera del "saber sobre saber hacer" explicada previamente.

Para poder alcanzar la máxima velocidad individualizada de contracción las tareas fundamentales deben estar diseñadas sobre espacios grandes, en situaciones que el futbolista no controle completamente. Carvalhal (citado en Couto, 2019a) explica un ejercicio que él emplea para lograr este propósito:

> *El jugador arranca en velocidad máxima [hasta una marca] donde le espera un balón para finalizar en una portería pequeña, teniendo después que volver al máximo (20 m) para entregar el peto que transporta en la mano al colega que le espera. El hecho de que sea competición asegura el máximo individual de cada uno.*

Estas fases de la sesión en la que se estimula la velocidad de contracción muscular de los futbolistas se alternan con otras tareas complementarias, que se centran en las dimensiones meso y micro del jugar (Figura III.3). Relacionado con el ejemplo anterior, el propio Carvalhal (en Couto, 2019a) explica cómo él emplea un ejercicio de ocho contra ocho con dos comodines, centrándose en la organización ofensiva para salvaguardar la idea de que "lo más importante es que jueguen nuestro juego y mejoren nuestro juego, esa es siempre mi preocupación. Y después, que el tipo de contracción muscular sea de un determinado patrón, para respetar el Morfociclo".

Para tratar de aportar claridad en la discusión sobre el equilibrio de las escalas individuales y colectivas o el empleo de contenidos analíticos o específicos durante los entrenamientos, Amieiro (citado en Couto, 2019c) expone:

> *Las personas comenzaron a querer, todos los días, fabricar el jugar a través de formas jugadas y situaciones de juego, unas veces con más jugadores, otras veces con menos jugadores, una vez en mayor espacio, otras veces en menor espacio, pero siempre en ese registro muy jugado. ¡Y la Periodización Táctica no es eso! En lo que al Miércoles y al Viernes lo dominante no puede ser eso. Porque aquello que tiene que ser adquisitivo, sólo es, de hecho, adquisitivo, si*

*tú te centras en un individuo, en dos-tres individuos y les colocas haciendo
situaciones muy cuidadosamente diseñadas.*

Día 6 – Sábado: Recuperación y Activación

El día que antecede al partido debe contener contenidos sencillos, que favorezcan
la transición y preparación para la competición (Silva, 2008). Llegados a este punto,
todo el trabajo estructural realizado durante la semana tiene que converger en el
marco estratégico de la competición. Por ello, este día presenta un doble objetivo:
asegurar la recuperación de la fase adquisitiva de la semana y activar para la competición (Oliveira, en Silva, 2008).

Los ejercicios del Sábado deben ser de baja complejidad basados en subprincipios relevantes que permitan rememorar todo los aspectos tácticos abordados durante el Morfociclo. Este contribuye a concluir la configuración del equipo de cara a
la competición, consolidado sus automatismos dinámicos (Tamarit, 2007). Las
situaciones facilitadas (con menor oposición) y las tareas en las que los futbolistas
experimenten emociones positivas pueden ser incluidas este día para aumentar la
confianza de los jugadores (Tavares, 2014, en Couto, 2019b). De manera complementaria, para lograr el propósito de la activación los ejercicios deben contener una
menor dosis de tensión y velocidad en la contracción muscular, siempre con una
densidad reducida y una corta duración (Tamarit, 2013).

Día 7 – Domingo: Competición

El partido semanal establece el límite temporal del Morfociclo. Lograr un
rendimiento óptimo del equipo en este día debe ser el objetivo principal del proceso y, como Frade (2003, en Silva, 2008) señala, la competición es la mejor herramienta para controlar el proceso. Por ello, no hay mejor test para evaluar los
rendimientos individuales y colectivos que examinar si los jugadores son capaces
de manifestar regularidades en el comportamiento, de acuerdo al Modelo de Juego,
durante los partidos oficiales. En otras palabras, se debería comprobar si se logra
plasmar en la competición la manera específica de jugar de un equipo (Silva, 2008).
Este rendimiento competitivo involucra a todos los jugadores del equipo durante
los 90 minutos de un partido y en el espacio real de juego. Por las diferentes
fuentes de stress que circunscriben la competición (oponentes, público, medios de
comunicación, etc.) este día es el que demanda un mayor desgaste emocional en los
futbolistas.

	Lunes	Martes	Mièrcoles	Jueves	Viernes	Sábado	Domingo
	LIBRE	REC. ACTIVA	ADQUISICIÓN			REC. + ACT.	PARTIDO
Complejidad		Principios Subprin.	Subprin. Subsubp.	Principios Subprin.	Subprin. Subsubp.	Subprin.	Principios
Escala		Intersect. Sectorial Grupal Individual	Intersect. Sectorial Grupal Individual	Colectiva Intersect.	Intersect. Sectorial Grupal Individual	Colectiva Intersect.	Colectiva
Demandas Mental-Emocional		Baja	Media	Alta	Baja-Media	Baja	Muy alta
Contracción Muscular							
Tensión		Baja	Alta	Media	Baja-Media	Baja-Media	Alta
Duración		Muy corta	Corta	Media-Larga	Muy corta	Muy Corta	Larga
Velocidad		Baja	Media	Baja-Media	Alta	Baja-Media	Alta
Densidad		Muy baja	Alta	Media-Alta	Baja-Media	Baja-Media	Alta
Características de las Tareas							
Espacio		Medio	Pequeño	Grande	Medio	Medio	Grande
Tiempo		Corto-Medio	Corto	Largo	Corto	Corto-Medio	Largo
Nª de Jugadores		Medio	Bajo	Grande	Bajo	Medio-Grande	Grande
Continuidad		Muy discontinuo	Discontinuo	Continuo	Discontinuo	Discontinuo	Continuo

Figura III.4 Características básicas del Morfociclo Patrón (basado en Oliveira et al., 2007; Silva, 2008; Tamarit, 2007, 2013). REC: Recuperación; ACT: Activación.

A modo de resumen de todo lo explicado previamente, la Figura III.4 concreta las características básicas que deben ayudar a diseñar las sesiones de entrenamiento durante el Morfociclo Patrón. Silva (2008), Tamarit (2013) y Couto (2018) utilizan una simbología con los colores para representar cada día de la semana de manera diferente de acuerdo a su significado. El Lunes (día libre) tiene el color blanco al ser un día sin actividad. El segundo día de la semana (Martes) se representa en verde claro, que se obtiene por la mezcla de la competición (verde) con la recuperación (blanco). El primero y último de los días adquisitivos se caracterizan por colores primarios como el azul (representando la tensión de las fibras rápidas el Miércoles) y el amarillo (por la velocidad de contracción el Viernes). La combinación de estos dos colores da como resultado el verde oscuro (Jueves). El Sábado persigue que los futbolistas recuperen de la fase de desarrollo y prepararles para la competición, de ahí que su color sea el amarillo claro (amarillo del Viernes y blanco de la recuperación). El color resultante de haber añadido todos los colores anteriores es el verde, que caracteriza la competición, equivalente a la mezcla de blanco (Lunes), verde claro (Martes), azul (Miércoles), verde oscuro (Jueves), amarillo (Viernes) y amarillo claro (Sábado).

El Morfociclo Excepcional

En su concepción original, el Morfociclo representa una estructura básica similar para todas las semanas, tratando de desarrollar una correspondencia dinámica entre el entrenamiento y la competición (Couto, 2018). Sin embrago, debido al número de elementos externos que rodean al fútbol profesional como el constante incremento en el número de torneos, las retransmisiones televisivas o los partidos de selecciones nacionales, cada vez los equipos compiten con mayor frecuencia, participando en más de un partido por semana.

El Morfociclo Excepcional surge como diseño alternativo para este tipo de equipos que toman parte en más de una competición semanal. Puesto que, en algunos casos, se superan las 72 horas para recuperarse de la competición (Frade, en Tamarit, 2013), la mayor densidad competitiva compromete el patrón adecuado de desempeño y recuperación. Por ello, en el Morfociclo Excepcional no habría tiempo o lugar para organizar sesiones de entrenamiento adquisitivas, puesto que el principal objetivo entre partidos sería recuperar del esfuerzo previo y preparar el siguiente encuentro.

Las circunstancias logísticas (densidad de partidos, viajes, número de jugadores en la plantilla, etc.) juegan un papel importante en la manera de organizar este peculiar Morfociclo. Si este tipo de semana sucede de manera ocasional durante la temporada, el entrenamiento se puede organizar tal y como muestra la Figura III.5. En este modelo de semana no hay días libres, ya que los días inmediatamente posteriores a los partidos se enfocan en la recuperación. Por otro lado, al aproximarnos a la siguiente competición el interés se centra en la activación y la preparación del partido. Es por ello que el día antes de un partido Mourinho se preocupa en los grandes principios, con escaso componente agonístico y trabajando sobre el posicionamiento del equipo bajo situaciones 11 contra 0 u 11 contra 11 (Oliveira *et al.*, 2007).

Domingo	Lunes	Martes	Miércoles	Jueves	Viernes	Sábado	Domingo
PARTIDO	RECU-PERA-CIÓN	RECU-PERA-CIÓN + ACTIVA-CIÓN	PARTIDO	RECU-PERA-CIÓN	RECU-PERA-CIÓN	RECU-PERA-CIÓN + ACTIVA-CIÓN	PARTIDO

Figura III.5 El Morfociclo Excepcional (basado en Tamarit, 2013).

Dentro de este Morfociclo Excepcional podemos identificar dos tipos de subciclos, uno corto (con tres días entre partidos) y otro más largo (con cuatro días entre partidos). Aunque este enfoque pueda parecer banal, es extremadamente importante ya que el haber sólo tres días entre partidos puede comprometer el rendimiento físico y aumentar la incidencia lesional. A este respecto, estudios recientes han mostrado como la densidad de competiciones tiene un efecto sobre los ratios de lesiones en equipos profesionales de fútbol (Bengtstonn *et al.*, 2013; Dellal *et al.*, 2013; Dupont *et al.*, 2010). Los entrenadores deben estar especialmente atentos a este tipo de escenarios porque cuando los equipos de alto nivel añaden a la coctelera largos desplazamientos internacionales, cambios de husos horarios, privación de sueño o alteración de los horarios habituales de alimentación, la fatiga (mental-emocional y física) a la que se somete a los jugadores aumenta de modo exponencial.

Cuando varios Morfociclos Excepcionales se repiten de manera consecutiva, tal y como sucede en equipos europeos de alto nivel durante muchas fases de la temporada, los entrenadores deben incluir días libres durante las semanas para combatir la fatiga. En este caso, resulta aconsejable incluir un día libre por semana, o uno cada dos semanas, que podría ser el día después de un partido durante el ciclo largo de la semana (en la fase en la que hay más de tres días entre los encuentros).

Tamarit (2013) resalta que bajo estas circunstancias la matriz direccional del equipo debe ser reforzada de manera periódica, puesto que cuando un equipo juega muchos partidos de manera consecutiva los futbolistas pueden olvidar los aspectos básicos organizativos, ya que el entrenador no dispone de tiempo para diseñar entrenamientos adquisitivos durante la semana. Esto es especialmente transcendente cuando el equipo se enfrenta a adversarios que no permiten manifestar la propia idea de juego. En este caso, el técnico debe generar sus propias estrategias (análisis de video, explicaciones teóricas, etc.) para mantener vivos los rasgos esenciales de la manera de jugar del equipo. Además, el técnico debe prestar especial atención a aquellos jugadores que no participan de manera regular en los partidos durante estos períodos congestionados. Estos futbolistas necesitan un entrenamiento adicional porque, de no ser adecuadamente estimulados, pueden ver afectados sus niveles de adaptación individual y los patrones de coordinación interpersonal con sus compañeros.

La Figura III.6 muestra un ejemplo real de un calendario de competición para un equipo de alto nivel durante un periodo de cinco semanas. Para los equipos participantes en la Liga de Campeones de la UEFA, es frecuente que una parte importante de la plantilla sea convocada también para los partidos internacionales de selecciones. Cuando se ponen sobre el papel los compromisos del equipo junto a las concentraciones de las selecciones, uno puede obtener una visión más detallada de la gran densidad competitiva a la que se ven sometidos los futbolistas de élite. Durante estos períodos de alta congestión de encuentros los equipos suelen seguir secuencias consecutivas de rutinas de activación > competición > recuperación, sin tiempo adicional para sesiones de adquisición. De nuevo, no podemos pensar únicamente en términos físicos puesto que la fatiga mental suele ser el principal factor limitante en estos períodos en los que los partidos se concatenan. Más aún, los niveles de fatiga experimentan un continuo incremento según se van acumulando los encuentros puesto que "una cosa es recuperar entre el primer y el segundo partido de un ciclo de 21 días, otra cosa es recuperar entre el sexto y el séptimo en ese ciclo de partidos" (Carvalhal, citado en Couto, 2019a).

Lunes	Martes	Miércoles	Jueves	Viernes	Sábado	Domingo
SELECCIONES			Rec. Activa	Rec.+Act. (Viaje)	**Liga (V)**	(Viaje) + Rec. Activa
Rec.+Act. (Viaje)	**Liga Campeones (V)**	(Viaje) + Libre	Rec. Activa	Entrena-miento	Rec. + Activación	**Liga (L)**
Rec. Activa	Rec.+Act. (Viaje)	**Liga (V)**	(Viaje) + Rec. Activa	Rec. + Activación	**Liga (L)**	Libre
Rec. Activa	Rec. + Activación	**Liga Campeones (L)**	Rec. Activa	Rec.+Act. (Viaje)	**Liga (V)**	(Viaje) + Libre
SELECCIONES						

Figura III.6 Un período competitivo de cinco semanas para un equipo que compite en una Liga nacional y la Liga de Campeones de la UEFA. (L) Partidos disputados como Local; (V) Partidos disputados como Visitante; Rec: Recuperación; Act: Activación.

Los equipos que participan en dos partidos de competición por semana durante la mayor parte de la temporada pueden beneficiarse de la introducción del Morfociclo Excepcional tan pronto como sea posible, para que los futbolistas se habitúen y adapten a esta estructura de planificación, que será la que caracterice su temporada. Bajo esta premisa, los partidos de pretemporada deben utilizarse como sesiones de entrenamiento enfocadas a mejorar la organización colectiva, considerándose como un Jueves de un Morfociclo Patrón, es decir, un día enfocado hacia los grandes principios y con predominancia de la duración en la contracción muscular. En cualquier caso, es necesario respetar que en las primeras semanas tras volver de las vacaciones los jugadores no pueden ser expuestos inmediatamente a 90 minutos de juego real. Oliveira (en Tamarit, 2013) sugiere dividir el tiempo de juego entre los futbolistas de la plantilla, para que cada jugador participe en 45 minutos por partido. Esto permitirá que los futbolista no acumulen excesiva fatiga, continuando con el régimen de entrenamiento y adaptación durante el resto del Morfociclo.

III.5 PERIODIZACIÓN TÁCTICA versus ENTRENAMIENTO TRADICIONAL

Tal y como se explicó en los apartados anteriores, la Periodización Táctica rompe con los esquemas tradicionales de entrenamiento e incorpora nuevos algoritmos para interpretar el proceso. Visto en estos términos, el cuerpo y la mente no pueden ser independientes y la Especificidad y el entrenamiento debe estar siempre interrelacionados. Incluir ejercicios tácticos en el curso de la semana no quiere decir que se esté siguiendo la metodología de la Periodización Táctica. De hecho, sería casi imposible encontrar a entrenadores que no utilicen ejercicios tácticos para preparar a su equipo para la competición. La principal cuestión es porqué, cómo y cuándo se organizan estas tareas. ¿Representan un momento de inspiración del entrenador mientras conduce su vehículo hacia el entrenamiento o pertenecen a una visión más amplia de la situación?

Muchos técnicos se muestran escépticos sobre la Periodización Táctica. ¿Cuándo van los jugadores al gimnasio?, ¿Han aumento su consumo máximo de Oxígeno en el último mes? ¿Es posible que los jugadores estén físicamente bien sin dar vueltas alrededor del campo de fútbol? Cientos de preguntas de este tipo surgen en todas las reuniones y debates sobre esta metodología. Muchos preparadores físicos afirman: "Sé que cuando los jugadores hacen tres series de seis minutos de carrera con cambios de ritmo de 20 segundos, los jugadores están en forma". No hay duda de que este tipo de trabajo puede aumentar los valores aeróbicos de un futbolista, pero ¿no hubiese sido más beneficioso haber realizado una tarea de 20 minutos con contenidos tácticos en un régimen de esfuerzo apropiado?

Es probable que muchos técnicos carezcan de seguridad para implementar tareas que estimulen de manera holística todas las dimensiones de los futbolistas y prefieran no salirse de su zona de confort, renunciando a indagar en nuevas direcciones de entrenamiento. Por ello, estos entrenadores prefieren que sus jugadores corran alrededor del campo durante 20 minutos que diseñar una tarea con objetivos tácticos dentro de una particular dinámica de esfuerzo. Oliveira *et al.* (2007) llevaron a cabo un análisis detallado de las actividades de entrenamiento de los equipos portugueses de la primera división durante la pretemporada 2004-05, revelando que la organización del equipo no era la prioridad para ninguno de ellos. Interesantemente, más de quince años después, aún podemos ver como un elevado porcentaje de equipos siguen incluyendo una variedad de contenidos no específicos durante las primeras semanas del período de preparación, cuando es la fase de la temporada con la mayor cantidad de tiempo disponible para entrenar.

Uno de los más cruciales mandamientos de la Periodización Táctica es que el Modelo de Juego debe estar conjugado a la metodología de entrenamiento, lo que implica que el entrenador debe generar ejercicios que conduzcan al equipo a comportarse de la manera prevista en el partido (Mourinho, 2003, en Oliveira *et al.*, 2007). Por esta razón, no tiene sentido que el entrenador y su cuerpo técnico copien ejercicios que se han mostrado efectivos en otros equipos, sino que deben preocuparse en crear ejercicios específicos para su contexto (Tamarit, 2013). En este sentido, Frade (en Tamarit, 2013) asevera que "el entrenador no hará porque una vez vio hacer, sino porque su intuición y reflexión le han enseñado que esa es la mejor manera para adquirir los principios pretendidos". Esta directriz debe respetarse desde el inicio de la temporada, desarrollando un camino para dirigir el crecimiento táctico de los jugadores y del equipo. Es de extrema importancia respetar esta idea porque cuando el liderazgo del entrenador se basa únicamente en variables psicológicas, sólo se conseguirán efectos a corto plazo en el rendimiento del equipo. Por otro lado, los beneficios de implementar una metodología de entrenamiento coherente son más duraderos, ya que desencadena transformaciones estructurales (Mourinho, en Oliveira *et al.*, 2007).

Al comparar la Periodización Táctica con otras metodologías es importante determinar qué dimensión se sitúa como epicentro del proceso. Las corrientes tradicionales de entrenamiento han situado la dimensión física del futbolista por encima de las demás. Esto implica que resulta imperativo que el futbolista logre determinados registros condicionales (medidos por sistemas de análisis del juego o pruebas físicas) para poder participar en el juego. El capítulo inicial de este libro proporcionó luz sobre este tema, explicando las limitaciones que este tipo de análisis cuantitativos del rendimiento tenían en los deportes de equipo. Bajo el paradigma de la Periodización Táctica, las valoraciones obtenidas por tests físicos, pulsómetros, GPS o sistemas de análisis del juego, basados únicamente en la dimensión física, son de escasa representatividad. En cualquier caso, esta perspectiva industrializada del entrenamiento sigue predominando a nivel mundial. El lenguaje empleado por los entrenadores y periodistas cuando se refieren al juego no ayuda a romper con estas barreras, ya que términos como trabajo, esfuerzo, carga, sudor, lucha o guerra pertenece a la jerga habitual. De manera conjunta, muchas veces parece que el éxito está no en cómo de bueno es el jugador sino en cuánto es capaz de producir.

Mourinho (en Oliveira *et al.*, 2007) se ha mostrado crítico con esta exaltación de lo físico, ya que opina que el fútbol y los futbolistas son globales, con una interacción entre todas sus dimensiones. Es por ello que Mourinho (2005, en Oliveira *et al.*, 2007) se sienta incapaz de disociar entre los aspectos físicos, técnicos, tácticos y psicológicos asegurando que:

> *La forma no es física. La forma es mucho más que eso. Lo físico es lo menos importante para alcanzar la forma deportiva. Sin organización y talento para explorar un Modelo de Juego, las deficiencias son explícitas, pero poco tiene eso que ver con la forma física.*

Esto implica que estar en buena forma tenga más que ver con jugar colectivamente dentro de un Modelo de Juego que con manifestaciones individuales de parámetros físicos: correr mayores distancias a elevadas velocidades o esprintar más veces. Rui Faria (2003, en Oliveira *et al.*, 2007) apoya esta idea al argumentar que "se valora demasiado el aspecto físico cuando lo esencial es la organización del juego. El secreto está en saber estar, saber hacer". De manera conjunta, en el fútbol no se trata de estar en buena o mala forma física, sino en adaptarse a una manera de jugar (Mourinho, en Oliveira *et al.*, 2007).

La Periodización Táctica ignora los ejercicios analíticos para desarrollar cualquier dimensión de manera aislada. Más aún, no hay ejercicios complementarios para desarrollar capacidades físicas como la fuerza, resistencia o la velocidad, ya que estás deben estar relacionadas con la manera de jugar del equipo (Oliveira *et al.*, 2007). Todas las dimensiones deben desarrollarse en Especificidad durante las sesiones de entrenamiento. Esto también significa que los preparadores físicos tradicionales tendrá una participación totalmente diferente en la Periodización Táctica. En lugar de estar preocupados por desarrollar independientemente las capacidades físicas, tendrán la misión de diseñar tareas que lleven a mejorar la adquisición de los principios del Modelo de Juego del equipo (Mourinho, 2004, en Oliveira *et al.*, 2007).

Otra metodología -el entrenamiento integrado- ha adquirido popularidad en los últimos años ya que se ha basado en la introducción del balón para el desarrollo de las capacidades físicas, intentando proporcionar una perspectiva más sintética al proceso. Como ejemplo, bajo un prisma tradicional la potencia aeróbica podría desarrollarse realizando cuatro series de carrera continua alrededor del terreno de juego a una velocidad de carrera que exija una frecuencia cardiaca mayor al 85% de la máxima individual (Helgerud *et al.*, 2001). Con el mismo objetivo fisiológico, un ejercicio de entrenamiento integrado podría ser un juego de cinco contra cinco con jugadores apoyando por fuera (Hoff *et al.*, 2002). Como la respuesta fisiológica durante ambos ejercicios es muy similar, siempre y cuando se respeten los mismos ratios de trabajo y recuperación (Impellizzeri *et al.*, 2006), y los futbolistas están más motivados cuando la pelota está presente en el entrenamiento, muchos técnicos se han decantado por el empleo de métodos integrales de entrenamiento.

En cualquier caso, debe resaltarse que la Periodización Táctica diverge del entrenamiento integrado, ya que en esta última corriente la dimensión física es quién gobierna la acción (Oliveira, en Tamarit, 2007). El entrenamiento integrado utiliza la pelota para disfrazar el entrenamiento físico, pero el objetivo final es el desarrollo de las capacidades físicas. Esto supone una diferencia esencial con la Periodización Táctica, donde los ejercicios no se centran nunca en capacidades físicas abstractas sino en la (supra) dimensión táctica, que es la que lidera el proceso.

Otra diferencia esencial entre la Periodización Táctica y otras aproximaciones convencionales al entrenamiento en el fútbol es el rol que se le da a los programas para el desarrollo de la fuerza en el gimnasio. Rui Faria (en Oliveira *et al.*, 2007) se cuestiona cómo se pueden identificar sinergias entre desarrollos musculares mediante máquinas de musculación y los requisitos de un determinado Modelo de Juego. Mourinho (en Oliveira *et al.*, 2007) corrobora este argumento al afirmar:

> *No utilizo programas individuales de musculación con mis jugadores para mantener o potenciar algunas cualidades. No creo en eso. Lo que hacemos se relaciona con nuestro Modelo de Juego. El gimnasio y las máquinas de musculación son para el departamento médico, si lo cree conveniente para utilizarlo en la rehabilitación de lesiones.*

Por ello, es esencial considerar al músculo como un órgano sensible en lugar de ser entendido como un órgano ciego que únicamente se centra en generar potencia o trabajo. Los músculos permiten la extracción de información relevante del entorno que es tratada y almacenada en la memoria. Diversos autores han coincidido en criticar la perspectiva tradicional empleada para el entrenamiento de la fuerza y la propiocepción en el fútbol (Amieiro, 2014; Maciel, 2014; Silva, 2014; Tavares, 2016; todos ellos en Couto, 2019a,b,c). Todas las actividades alejadas del juego en sí mismo hacen que sea muy difícil generar adaptaciones estructurales y funcionales en los futbolistas.

Llegados a este punto, algunos lectores podrían argumentar que sin trabajo en gimnasio los futbolistas podrían tener un riesgo más elevado de sufrir lesiones. Si analizamos las estadísticas lesionales de la última década (como aquéllas que presenta la Liga de Campeones de la UEFA en sus trabajos de investigación) podemos observar como los equipos que entrena José Mourinho no tienen unos elevados índices de lesiones no traumáticas durante la temporada. De nuevo Mourinho (en Oliveira *et al.*, 2007) cree que es no es casualidad ya que:

> *El entrenamiento juega un papel determinante: el músculo está más preparado para el esfuerzo y para la temporada cuanto más específico haya sido el trabajo realizado. Esto es algo evidente, pragmático y básico. ¿Qué es lo que prepara mejor al músculo? Las acciones que denominamos de "fuerza técnica", acciones táctico-técnicas realizadas a intensidades altísimas y a velocidad elevada. Por ejemplo, una frenada seguida de un contacto físico y de un cambio de dirección con un esprint, es una acción de "fuerza" mucho más específica que un press de piernas de 200 kilos, por eso, el músculo está mucho más preparado y adaptado para el esfuerzo así. A veces, la gente se obsesiona con la vertiente física, considerando al músculo como un órgano generador de trabajo y no como un órgano sensible con una capacidad absolutamente fantástica de adaptación al desenvolvimiento regular.*

Por todo lo anterior, conviene reflexionar sobre la apertura conceptual que significa la Periodización Táctica, que se manifiesta como una transgresión de muchos de los pilares que han soportado el entrenamiento convencional del fútbol por todos los rincones del planeta. Prueba de ello, y a modo de síntesis de todo lo abordado en el presente capítulo, es la siguiente cita extraída de Oliveira *et al.* (2007) que sirve para clarificar ideas previas y como dictamen conclusivo:

> *Entrenamiento físico, trabajo aeróbico de base en la pretemporada, el binomio volumen-intensidad, ejercicios en circuito y por estaciones, ejercicios complementarios para desenvolver determinada capacidad física, entrenamientos de conjunto, partidillos de entrenamiento a mitad de semana, gimnasio, tests físicos, balones medicinales, visitas al parque de la ciudad, correr dando vueltas al campo con y sin balón, partidos más cortos para ver la resistencia, etc..., son cosas totalmente contrarias al método de Mourinho, tanto en pretemporada como en la propia competición.*

EPÍLOGO

"Nunca tendremos un conocimiento completo"

Edgar Morin

Este libro ha pretendido proporcionar una manera diferente de ver, estudiar y examinar el fútbol, presentando dos metodologías de entrenamiento alternativas: el Entrenamiento Estructurado y la Periodización Táctica. En cualquier caso, estas dos filosofías contemporáneas no deben ser consideradas como antagonistas sino complementarias, debido a que son mayores las similitudes que las diferencias entre ellas. Josep Mussons (citado en Suárez, 2012), antiguo vicepresidente del FC Barcelona, ilustra la siguiente anécdota del año 1996 para resaltar el consenso entre los puntos de vista:

> *Aún recuerdo aquel día a la perfección. Eran las tres de la tarde y recibí en mi despacho a Robson y a Mourinho. Núñez y Gaspart le habían prometido al nuevo entrenador que le hospedarían en una casa en Sitges, así que lo llevaron rápidamente hacia allí. En mi despacho se quedó Mourinho. Entonces entró Paco Seirul·lo (responsable de la preparación física del Barcelona y toda una institución académica en teoría del entrenamiento). Ambos empezaron a hablar sin parar, sentados en el sofá durante más de dos horas, sobre cuestiones técnicas y tácticas con enorme precisión. Insistía Mourinho en que los entrenamientos debían cambiar, que ya no podían ponerse todos a dar vueltas al campo cuando algunos podían necesitarlo y otros no. Seirul·lo admitía que sus conocimientos eran notables. Ni con Helenio Herrera había disfrutado tanto.*

Capra (1996) anticipó muchos de los enunciados que se han presentado a lo largo de las páginas precedentes y abogó porque la mayor parte de los problemas de nuestra época "no pueden entenderse de manera aislada". Por ello, el propósito de de este libre no era dividir sino multiplicar, permitiendo al lector explorar y hacer emerger nuevas direcciones para el entrenamiento del fútbol. No obstante, debemos respetar que en esta búsqueda de nuevas estrategias y alternativas para concebir el fútbol y la naturaleza, siempre encontraremos muchos obstáculos en nuestro camino. Incluso entrenadores del máximo nivel como Pep Guardiola reflejan la incertidumbre de aplicar una metodología de entrenamiento novel en una cultura diferente y, después de haber sido elogiado por utilizar el balón desde la fase inicial de su primera pretemporada en el Bayern, advertía (citado en Perarnau, 2014): "Sí, muy bien, pero si perdemos dos partidos seguidos dirán que es por culpa de tanto rondo y por no estar haciendo series de 1.000 metros en la pretemporada o porque no subíamos montañas en el Trentino".

Todo nuestro historial de aprendizajes previos es una de las barreras más ancladas que tenemos que superar, ya que nuestro cerebro es el primero que nos engaña (Rubia, 2007). Estamos predispuestos a percibir lo que realmente queremos percibir, por lo que tenemos que cambiar el nivel de análisis para ver cosas que antes no podíamos ver (Punset, en Pol, 2011). A pesar de que el pensamiento clásico permanece en la fundamentación del fútbol, la teoría general de los sistemas y las ciencias de la complejidad han aportado conceptos, modelos y herramientas para comprender el fútbol de una manera más adecuada: el jugador como una unidad funcional en el Entrenamiento Estructurado y el juego como una realidad indivisible en la Periodización Táctica. Tomadas de forma conjunta, estas dos metodologías no lineales pueden ser utilizadas para estudiar ambos fenómenos no lineales: el futbolistas y el juego. Por ello, Seirul·lo se preocupa por el jugador como sistema, centrándose en los procesos de autoestructuración y optimización de la persona, mientras que Frade da prioridad al equipo como sistema, concentrándose en su organización y en la dinámica del juego. Hablando en el lenguaje de Seirul·lo, la perspectiva de Frade podría definirse como priorización táctica u optimización táctica.

Francisco Seirul·lo y Vítor Frade deben ser considerados entre los más grandes pensadores e influyentes sobre el fútbol en nuestra era, habiendo producido una magnífica labor para sentar las bases de esta nueva visión del futbolista y del fútbol. Ambos coinciden en que la aproximación clásica para el estudio de los deportes de equipo basada en los deportes individuales no satisfacía la singularidad del fútbol y, por ello, han investigado para hallar nuevas estrategias, enfrentándose al conocimiento pragmático universal esparcido en el dominio del fútbol. Este arduo proceso ha conllevado que, durante mucho años, hayan tenido que luchar contra grandes reminiscencias culturales que, aún en nuestros días, forman parte del plano inconsciente de muchos entrenadores.

No sólo Seirul·lo y Frade han apoyado sus metodologías en un marco teórico profundo, sino que también han contrastado sus postulados en escenarios de alto nivel en el fútbol, lo que ha enriquecido la calidad de sus propuestas. Los éxitos en el campo les otorgaron la fuerza sustancial para combatir los obstáculos que encontraron en su camino. Muchos de éstos venían representados por personas escépticas que buscaban certezas en un deporte formado por predicciones indemostrables. Basar el entrenamiento en el cerebro y no en el músculo, concebirlo como un proceso no lineal y creativo en el cual los entrenadores pueden generar infinitas propuestas y el diseño de la organización semanal (Microciclo Estructurado y el Morfociclo, respectivamente), permanecen como analogías fundamentales entre las metodologías.

A partir de aquí, cada entrenador debe elegir cómo continuar su camino personal para configurar su propia teoría y práctica entrenamiento en el fútbol puesto que, de acuerdo a Edgar Morin (1994) y al paradigma de la complejidad, el conocimiento es un proceso dinámico e incompleto.

REFERENCIAS BIBLIOGRÁFICAS

•Álvaro, J. (2002). *Modelos de planificación y programación en deportes de equipo*. Máster en Alto Rendimiento Deportivo. Madrid: Comité Olímpico Español-Universidad Autónoma de Madrid.

•Álvaro, J., Badillo, J.J., González, J.L., Navarro, F., Portolés, J., Sánchez, F. (1995). Modelo de análisis de los deportes colectivos basado en el rendimiento en la competición. *Infocoes, I,* 21-40.

•Araújo, D., Davids, K., Hristovski, R. (2006). The ecological dynamics of decision making in sport. *Psychology of Sports and Exercise, 7,* 653-676.

•Arjol, J.L. (2012). La planificación actual del entrenamiento en el fútbol: Análisis comparado del enfoque estructurado y la periodización táctica. *Acción Motriz, 8,* 27-37.

•Ascensão, A., Leite, M., Rebelo, A.N., Magalhäes, S., Magalhäes, J. (2011). Effects of cold water immersion on the recovery of physical performance and muscle damage following a one-off soccer match. *Journal of Sports Sciences, 29,* 217-225.

•Balagué, N., Torrents, C. (2011). *Complejidad y deporte*. Barcelona: INDE.

•Balagué, N., Torrents, C. (2014). Aceptar la complejidad en el fútbol: Una tarea compleja. En P. Gómez (ed.): *El fútbol ¡no! es así* (pp. 182-185). Barcelona: Fútboldlibro.

•Balagué, N., Torrents, C., Hristovski, R., Davids, K., Araújo, D. (2013). Overview of complex systems in sports. *Journal of System Science and Complexity, 26,* 4-13.

•Baldari, C., Videira, M., Madeira, F., Sergio, J., Guidetti, L. (2004). Lactate removal during active recovery related to the individual anaerobic and ventilatory thresholds in soccer players. *European Journal of Applied Physiology, 93,* 224-230.

•Bangsbo, J. (1994). The physiology of soccer – with special reference to intense intermittent exercise. *Acta Physiologica Scandinavica, 151 Suppl. 619.*

•Bayer, C. (1986). *La enseñanza de los juegos deportivos colectivos*. Barcelona: Hispano Europea.

•Bengtsson, H., Ekstrand, J., Hägglund, M. (2013). Muscle injury rates in professional football increase with fixture congestion: an 11-year follow-up of the UEFA Champions League injury study. *British Journal of Sports Medicine, 47,* 743-747.

•Bernstein, N. (1967). *The co-ordination and regulation of movement*. Londres: Pergamon Press.

•Bloomfield, J., Polman, R., O'Donoghue, P. (2007). Physical demands of different positions in FA Premier League soccer. *Journal of Science and Medicine in Sport, 6,* 63-70.

•Bompa, T. (1984). *Theory and methodology of training – The key to athletic performance*. Florida: Kendal/Hunt.

•Bondarchuk, A.P. (1988). Constructing a training system. *Track Technique, 102,* 254-269.

• Bondarchuk, A.P. (2007). *Transfer of training in sport. Volume I.* Michigan: Ultimate Athlete Concepts.

• Borasteros, D. (2005). El "pinganillo" de Raúl. *El País,* 24 Agosto.

• Bradley, P.S., Sheldon, W., Wooster, B., Olsen, P., Boanas, P., Krustrup. P. (2009). High-intensity running in English FA Premier League soccer matches. *Journal of Sports Sciences, 27,* 159-168.

• Campos, C. (2007). *A singularidade da intervençao do treinador como a sua "Impressao Digital" na… Justificaçao da Periodizaçao Táctica como uma "fenomenotécnica".* Monograph. Faculdade de Desporto da Universidad do Porto.

• Cano, O. (2009). *El modelo de juego del FC Barcelona* (3ª edición). Vigo: MC Sports.

• Cano, O. (2012). *El juego de posición del FC Barcelona.* Vigo: MC Sports.

• Cappa, A. (2007). La preparación física no existe. Entrevista con Paco Seirul·lo. *Marca,* 24 Noviembre.

• Capra, F. (1996). *The web of life.* Londres: Harper Collins Publishers.

• Carvalhal, C., Lage, B., Oliveira, J.M. (2014). *Soccer. Developing a know-how.* Estoril: Primebooks.

• Castelo, J. (1999). *Fútbol. Estructura y dinámica de juego.* Barcelona: INDE.

• Chow, J.Y. Davids, K., Button, C., Renshaw, I. (2016). *Nonlinear pedagogy in skill acquisition. An introduction.* Londres: Routledge.

• Couto, J. (2018). *La sustentabilidad del Morfociclo Patrón: La "célula madre" de la Periodización Táctica.* Vigo: MC Sports.

• Couto, J. (2019a). *Entrevistas prácticas sobre periodización. Tomo I.* Vigo: MC Sports.

• Couto, J. (2019b). *Entrevistas prácticas sobre periodización. Tomo II.* Vigo: MC Sports.

• Couto, J. (2019c). *Entrevistas prácticas sobre periodización. Tomo III.* Vigo: MC Sports.

• Damasio, A.R. (1996). *El error de Descartes.* Santiago de Chile: Andrés Bello.

• Davids, K., Hristovski, R., Araújo, D., Balagué, N., Button, C., Passos, P. (2014). *Complex systems in sport.* Londres: Routledge.

• Delgado Bordonau, J.L., Méndez Villanueva, J.A. (2018). *Tactical Periodization. A proven successful training model.* Londres: Soccertutor.

• Dellal, A., Chamari, K., Wong, D.P., Ahmaidi, S., Keller, D., Barros, R., Bisciotti, G.N., Carling, C. (2011). Comparison of physical and technical performance in European soccer match-play: FA Premier League and La Liga. *European Journal of Sports Sciences, 11,* 51-59.

• Dellal, A., Lago-Peñas, C., Rey, E., Chamari, K., Orhant, E. (2013). The effects of a congested fixture period on physical performance, technical activity and injury rate during matches in a professional soccer team. *British Journal of Sports Medicine, 49 (6),* 390-394.

• De Régules, S. (2019). *Caos y complejidad*. Barcelona: Shackleton Books.

• Díaz, J.M. (2011). Seirul·lo, la gasolina del rondo. *Sport*, 26 Junio.

• Dick, F. (1980). *Sport training principles*. Londres: Lepus Books.

• Di Salvo, V., Baron, R., Tschan, H., Callejon Montero, F.J., Bachl, N., Pigozzi, F. (2007). Performance characteristics according to playing position in elite soccer. *International Journal of Sports Medicine, 28*, 222-227.

• Domenech, O. (2013). En los rondos, Valdés era mejor que yo. Interview with Gianluca Zambrotta. *El Mundo Deportivo*, 19 Febrero.

• Duarte, R., Araújo, D., Correia, V., Davids, K. (2012). Sport teams as superorganisms: Implications of sociobiological models of behaviour for research and practice in team sports performance analysis. *Sports Medicine, 42*, 633-642.

• Duarte, R., Araújo, D., Correia, V., Davids, K., Marques, P., Richardson, M.J. (2013). Competing together: Assessing the dynamics of team-team and player-team synchrony in professional association football. *Human Movement Science, 32*, 555-566.

• Dupont, G., Nedelec, M., McCall, A., McCormack, D., Berthoin, S., Wisloff, U. (2010). Effect of 2 soccer matches in a week on physical performance and injury rate. *American Journal of Sports Medicine, 38*, 1752-1758.

• Ekblom, B. (1986). Applied physiology of soccer. *Sports Medicine, 3*, 50-60.

• Frank, T.D., Richardson, M.J. (2010). On a test static for the Kuramoto order parameter of synchronization: An illustration for group synchronization during rocking chairs. *Physica D, 239*, 2084-2092.

• Freedman, D.H. (2010). *Wrong: Why experts keep failing us*. Nueva York: Little, Brown and Company.

• García Manso, J.M. (1999). *Alto rendimiento, la adaptación y la excelencia deportiva*. Madrid: Gymnos.

• Garganta, J. (1997). Para una teoría de los juegos deportivos colectivos. En A. Graça, J. Oliveira (eds.): *La enseñanza de los juegos deportivos* (pp. 9-23). Barcelona: Paidotribo.

• Gibson, J.J. (1979). *The ecological approach to visual perception*. EEUU: Houghton Mifflin.

• Gómez, A., Roqueta, E., Tarragó, J.R., Seirul·lo, F., Cos, F. (2019). *Entrenamiento en deportes de equipo: el entrenamiento coadyuvante en el FCB*. Apunts. Educación Física y Deporte. 136 (4): 13-25.

• Gómez, P. (2009). Messi tiene talento para ciertas cosas, lo demás es construido. Interview with Paco Seirul·lo. *La Voz de Galicia*, 8 Mayo.

• González Badillo, J.J. (2002) *Métodos de analisis de la exigencia de la condición física en los deportes*. Máster en Alto Rendimiento Deportivo. Madrid: Comité Olímpico Español-Universidad Autónoma de Madrid.

• Gregson, W., Drust, B., Atkinson, G., Di Salvo, V. (2010). Match-to-match variability of high-speed activities in Premier League soccer. *International Journal of Sports Medicine, 31,* 237-242.

• Greháigne, J.F. (2001). *La organización del juego en el fútbol.* Barcelona: INDE.

• Greháigne, J.F., Davis, K., Bennet, S., Button, C. (1997). Dynamic-system analysis of opponent relationships in collective actions in soccer. *Journal of Sports Sciences, 15,* 137-149.

• Haken, H. (1983). *Synergetic, an introduction.* Berlín: Springer.

• Harre, D. (1973). *Trainingslehre.* Berlín: Sportverlag.

• Hay, J.G., Reid, J.G. (1982). *Anatomy mechanics and human motion.* Nueva Jersey: Prentice-Hall.

• Hegedüs, J. (1988). *La ciencia del entrenamiento deportivo.* Buenos Aires: Stadium.

• Helgerud, J., Engen, L.C., Wisloff, U., Hoff, J. (2001). Aerobic endurance training improves soccer performance. *Medicine and Science in Sports and Exercise, 33,* 1925-1931.

• Hernández Moreno, J. (1994). *Análisis de las estructuras del juego deportivo.* Barcelona: INDE.

• Hernández Moreno, J. (2001). Análisis de los parámetros espacio y tiempo en el fútbol sala. La distancia recorrida, el ritmo y la dirección de los desplazamientos del jugador en la competición. *Apunts: Educación Física y Deportes, 65,* 32-44.

• Hoff, J. (2005). Training and testing physical capacity for elite soccer players. *Journal of Sports Sciences, 23,* 573-582.

• Hoff, J., Wisloff, U., Engen, L.C., Kemi, O.J., Helgerud, J. (2002). Soccer specific aerobic endurance training. *British Journal of Sports Medicine, 36,* 218-221.

• Impellizzeri, F.M., Marcora, S.M., Castagna, C., Reilly, T., Sassi, A., Iaia, M., Rampinini, E. (2006). Physiological and performance effects of generic versus specific aerobic training in soccer players. *International Journal of Sports Medicine, 27,* 483-492.

• Issurin, V. (2008). Block periodisation versus traditional training: a review. *Journal of Sports Medicine and Physical Fitness, 48,* 65-75.

• Issurin, V. (2010). New horizons for the methodology and physiology of training organisation. *Sports Medicine, 40,* 189-206.

• Issurin, V. (2012). *Entrenamiento deportivo. Periodización en bloques.* Barcelona: Paidotribo.

• Kelso, J.A.S. (1995). *Dynamic patterns – The self-organisation of brain behaviour.* Cambridge: E & MIT Press.

• King, I. (2000). *Foundations of physical preparation.* King Sports International.

• Kinugasa, T., Kilding, A.E. (2009). A comparison of post-match recovery strategies in youth soccer players. *Journal of Strength and Conditioning Research, 23,* 1402-1407.

• Kitano, H., Asada, M. (2002). RoboCup: La copa robótica mundial de fútbol. *Investigación y*

Ciencia, 312.

• Konig, J.P. (2009). Training athletes and explaining the past in Philostratus' Gymnasticus. In E. Bowie and J. Elsner (eds.): *Philostratus. Greek culture in the Roman world* (pp. 251-283). Cambridge: Cambridge University Press.

• Krustrup, P., Mohr, M., Amstrup, T., Rysgaard, T., Johansen, J., Steensberg, A., Pedersen, P.K., Bangsbo, J. (2003). The yo-yo intermittent recovery test: physiological response, reliability and validity. *Medicine and Science in Sports and Exercise, 35,* 697-705.

• Krustrup, P., Mohr, M., Nybo, L., Jensen, J.M., Nielsen, J.J., Bangsbo, J. (2006). The Yo-yo IR2 test: physiological response, reliability and application to elite soccer. *Medicine and Science in Sports and Exercise, 38,* 1666-1673.

• Kuhn, T. (1962). *The structure of scientific revolutions.* Chicago: University of Chicago Press.

• Lago, C. (2002). *La preparación física en el fútbol.* Madrid: Biblioteca Nueva.

• Lago, C. (2009). La aportación de Paco Seirul·lo al conocimiento científico de los deportes de equipo. *Revista de Entrenamiento Deportivo, XXIII, 4,* 11-12.

• Lames, M., Ertmer, J., Walter, F. (2010). Oscillations in football - Order and disorder in spatial interactions between the two teams. *International Journal of Sports Psychology, 41,* 85-86.

• Lévi-Strauss, C. (1998). *Las estructuras fundamentales del parentesco.* Barcelona: Paidós Ibérica.

• Lillo, J.M. (2009). Prólogo. En O. Cano: *El modelo de juego del FC Barcelona* (3ª edición). Vigo: MC Sports.

• Mahlo, F. (1969). *La acción táctica en juego.* La Habana: Pueblo y Educación.

• Mallo, J. (2013). *La preparación (física) para el fútbol basada en el Juego.* Barcelona: Futboldlibro.

• Mallo, J. (2014). *Periodization fitness training. A revolutionary football training program.* Londres: Soccertutor.

• Martín Acero, R. (2009). Paco Seirul·lo: Enhorabuena y muchas gracias! *Revista de Entrenamiento Deportivo, XXIII, 4,* 5-6.

• Martín Acero, R., Lago, C. (2005a). *Deportes de equipo. Comprender la complejidad para elevar el rendimiento.* Barcelona: INDE.

• Martín Acero, R., Lago, C. (2005b). Complejidad y rendimiento en deportes sociomotores de equipo (DSEQ): dificultades de investigación. *Revista digital efdeportes.com,* 90.

• Martín Acero, R., Seirul·lo, F., Lago, C., Lalín, C. (2013). Causas objetivas de la planificación en DSEQ (II): La Microestructura (microciclos). *Revista de Entrenamiento Deportivo, 27 (2).*

• Maslow, A.H. (1966). *The psychology of science.* Chapel Hill: Maurice Basset Publishing.

• Massafret, M. (2017). La proyección del movimiento deportivo específico en el juego. En F. Seirul·lo (ed.): *El entrenamiento en los deportes de equipo (pp. 213-239).* Barcelona: Mastercede.

• Matveiev, L.P. (1964). *Problem of periodisation the sport training.* Moscú: Fizkultura i Sport.

• Matveiev, L.P. (1977). *Periodización del entrenamiento deportivo.* Madrid: Instituto Nacional de Educación Física.

• Matveiev, L.P. (1982). *El proceso de entrenamiento deportivo.* Buenos Aires: Stadium.

• Matveiev, L.P. (1985). *Fundamentos del entrenamiento deportivo.* Madrid: Esteban Sanz.

• McGarry, T., Anderson, D., Wallace, S., Hughes, M., Franks, I. (2002). Sport competition as a dynamical self-organizing system. *Journal of Sports Sciences, 20,* 171-181.

• Mendonça, P. (2013). *El Modelo de Juego del FC Bayern de Munich.* Amazon.

• Miranda, J. (2009). *Organizaçao estructural: ponto de partida ou um meio para atingir um fim (o modelo de jogo)?* Monograph. Faculdade de Desporto da Universidad do Porto.

• Mohr, M., Krustrup, P., Bangsbo, J. (2003). Match performance of high-standard soccer players with special relevance to development of fatigue. *Journal of Sports Sciences, 21,* 519-528.

• Mombaerts, E. (1998). *Fútbol. Entrenamiento y rendimiento colectivo.* Barcelona: Hispano Europea.

• Monzó, J. (2006). *El pensador sistémico. Volumen I. Artículos 1995-2005.* Valencia.

• Morenilla, J. (2013). Francia olvidó la humildad. Interview with Lilian Thuram. *El País,* 23 Marzo.

• Morin, E. (1993). *El método I. La naturaleza de la naturaleza.* Madrid: Cátedra.

• Morin, E. (1994). *Introducción al pensamiento complejo.* Barcelona: Gedisa.

• Morin, E. (2000). *La mente bien ordenada.* Barcelona: Seix Barral.

• Mujika, I. (2013). The alphabet of sport science research starts with q. *International Journal of Sports Physiology and Performance, 8,* 465-466.

• Navarro, F. (1997). *Teoría y práctica del entrenamiento deportivo.* Facultad de Ciencias de la Actividad Física y del Deporte. Universidad Politécnica de Madrid.

• O'Connor, J., McDermott, I. (1997). *The art of systems thinking: Essential skills for creativity and problem solving.* EEUU: Thorsons.

• Oliveira, B., Amieiro, N., Resende, N., Barreto, R. (2007). *Mourinho ¿Por qué tantas victorias?* Vigo: MC Sports.

• Oliveira, J.G. (2003). *Organizaçao do jogo de uma equipa de Futebol. Aspectos metodológicos na abordagem da sua organizaçao estructural e funcional.* Faculdade de Desporto da Universidad do Porto.

• Oliveira, J.G. (2004). *Conhecimento Específico em Futebol. Contributos para a definiçao de una matriz dinamica do processo de ensino-aprendizagem/treino do jogo.* Faculdade de Desporto da Universidad do Porto.

• Oliveira, J.G. (2007). *FC Porto: Nuestro microciclo semanal (Morfociclo)*. 6ª Clinic en Fútbol Base. Pamplona: Fundación Osasuna.

• Ozolin, N.G. (1970). *The modern system of sport training*. Moscú: Fizkultura I Sport.

• Palomo, F. (2012). La metodología que marcó época. Entrevista con Paco Seirul·lo. *ESPN sports*.

• Panzeri, D. (1967). *Fútbol. Dinámica de lo impensado* (reeditado en 2011). Madrid: Capitán Swing Libros.

• Parlebas, P. (1988). *Elementos de sociología del deporte*. Málaga: Unisport, Junta de Andalucía/ Universidad Internacional del Deporte de Andalucía.

• Parlebas, P. (2001). *Léxico de praxiología motriz*. Barcelona: Paidotribo.

• Passos, P. (2008). *Dynamical decision making in rugby: Identifying interpersonal coordination patterns*. Tesis Doctoral. Technical University of Lisbon.

• Passos, P., Davids, K., Araújo, D., Paz, N., Minguéns, J., Mendes, J. (2011). Networks as a novel tool for studying team ball sports as complex social systems. *Journal of Science and Medicine in Sport, 2*, 170-176.

• Perarnau, M. (2011). *Senda de campeones: De La Masía al Cam Nou*. Salsa books.

• Perarnau, M. (2014). *Herr Pep*. Barcelona: Córner.

• Perarnau, M. (2016). *Pep Guardiola: La metamorfosis*. Barcelona: Córner.

• Platonov, V.N. (1988). *El entrenamiento deportivo. Teoría y Metodología*. Barcelona: Paidotribo.

• Pol, R. (2011). *La preparación ¿física? en el fútbol*. Vigo: MC Sports.

• Pons, E., Martín, A., Guitart, M., Guerrero, I., Tarragó, J.R., Seirul·lo, F., Cos, F. (2020). *Entrenamiento en deportes de equipo: el entrenamiento optimizador en el Fútbol Club Barcelona*. Apunts. Educación Física y Deporte. 142 (4): 55-66.

• Prigogine, I. (1993). *Las leyes del caos*. Barcelona: Crítica Grijalbo Mondadori.

• Punset, E. (2007). *Viaje a la felicidad*. Barcelona: Destino.

• Punset, E. (2010). *Viaje a las emociones*. Barcelona: Destino.

• Rampinini, E., Coutts, A.J., Castagna, C., Sassi, R., Impellizzeri, F.M. (2007). Variation in top level soccer match performance. *International Journal of Sports Medicine, 28*, 1018-1024.

• Ribeiro, J.M., Viana, A. (2013). Entrevista con André Villas-Boas. *O Jogo,* 24 Junio.

• Richardson, M.J, García, A., Frank, T.D., Gergor, M., Marsh, K.L. (2012). Measuring group synchrony: A cluster-phase method for analyzing multivariate movement time-series. *Frontiers in Physiology, 3*, 405.

• Roca, A. (2009). *El proceso de entrenamiento en el fútbol. Metodología de trabajo en un equipo profesional (FC Barcelona)*. Vigo: MC Sports.

• Romero, D. (2017). Inserción de la acción preventiva en el proceso de entrenamiento. En F.

Seirul·lo (ed.): *El entrenamiento en los deportes de equipo* (pp. 309-336). Barcelona: Mastercede.

- Rubia, F.J. (2007). *El cerebro nos engaña*. Barcelona: Temas de Hoy.

- Ruíz Pérez, L.M. (1994). *Deporte y aprendizaje*. Madrid: Visor.

- Salebe, A. (2011). Estar en el Barça es disfrutar continuamente. Entrevista con Paco Seirul·lo. *El Heraldo* (Colombia), 20 Agosto.

- Sampedro, J. (1999). *Fundamentos de táctica deportiva. Análisis de la estrategia en los deportes*. Madrid: Gymnos.

- Schmidt, R.A. (1982). *Motor control and learning. A behavioural emphasis*. Champaign (EEUU): Human Kinetics.

- Seirul·lo, F. (1976). Hacia una sinergética del entrenamiento. *Apuntes Medicina Deporte, XIII, 50*, 93-94.

- Seirul·lo, F. (1979). Desarrollo de las cualidades físicas básicas. *Atletismo Español, Agosto*, 37-39 y *Noviembre*, 25-29.

- Seirul·lo, F. (1986). Entrenamiento coadyuvante. *Apunts de Medicina Esportiva, 23*, 38-41.

- Seirul·lo, F. (1987a). Opciones de planificación en los deportes de largo período de competiciones. *Revista de Entrenamiento Deportivo, I (3)*, 53-62.

- Seirul·lo, F. (1987b). Las funciones y competencias de un preparador físico en un club deportivo. *Revista de Entrenamiento Deportivo, I (1)*, 70-77.

- Seirul·lo, F. (1987c). La técnica y su entrenamiento. *Apunts Medicina de l'Esport, 24*, 189-199.

- Seirul·lo, F. (1990). Entrenamiento de la fuerza en balonmano. *Revista de Entrenamiento Deportivo, IV, 6*, 30-34.

- Seirul·lo, F. (1993). *Planificación del entrenamiento en deportes de equipo*. Máster en Alto Rendimiento Deportivo. Madrid: Comité Olímpico Español – Universidad Autónoma de Madrid.

- Seirul·lo, F. (1998a). *Planificación a largo plazo en los deportes colectivos*. Curso sobre entrenamiento Deportivo en la infancia y la adolescencia. Escuela Canaria del Deporte. Dirección General de Deportes del Gobierno de Canarias.

- Seirul·lo, F. (1998b). Prólogo. In G. Cometti: *La pliometría*. Barcelona: INDE.

- Seirul·lo, F. (1999). Criterios modernos de entrenamiento en el fútbol. *Revista Training Fútbol, 45*, 8-17.

- Seirul·lo, F. (2000). *Una línea de trabajo distinta*. I Jornadas de Actualización de Preparadores Físicos de fútbol. Comité Olímpico Español.

- Seirul·lo, F. (2001). Entrevista de metodología y planificación. *Training Fútbol, 65*, 8-17.

- Seirul·lo, F. (2002). *La preparación física en deportes de equipo*. Entrenamiento Estructurado. Jornada sobre Rendimiento Deportivo. Dirección General del Deporte. Valencia.

• Seirul·lo, F. (2003). *Sistemas dinámicos y rendimiento en deportes de equipo*. First Meeting of Complex Systems and Sports. Instituto Nacional de Educación Física de Catalunya.

• Seirul·lo, F. (2004). *Motricidad básica y su aplicación a la iniciación deportiva*. Instituto Nacional de Educación Física de Catalunya.

• Seirul·lo, F. (2005a). Prólogo. En R. Martín Acero, C. Lago: *Deportes de equipo. Comprender la complejidad para elevar el rendimiento*. Barcelona: INDE.

• Seirul·lo, F. (2005b). *Planificación del entrenamiento*. Máster profesional en Alto Rendimiento en deportes de equipo. Barcelona: CEDE.

• Seirul·lo, F. (2005c). *Estructura socio-afectiva*. Máster profesional en Alto Rendimiento en deportes de equipo. Barcelona: CEDE.

• Seirul·lo, F. (2009). Una línea de trabajo distinta. *Revista de Entrenamiento Deportivo, XXIII, 4,* 13-18.

• Seirul·lo, F. (2010). Prólogo. En D. Romero, J. Tous: *Prevención de lesiones en el deporte. Claves para un rendimiento deportivo óptimo*. Madrid: Panamericana.

• Seirul·lo, F. (2012). Competencias: Desde la Educación Física al Alto Rendimiento. *Revista de Education Física, 128,* 5-8.

• Seirul·lo, F. (2017). ¿Entrenamiento estructurado en los deportes de equipo? En F. Seirul·lo (ed.): *El entrenamiento en los deportes de equipo* (pp. 17-39). Barcelona: Mastercede.

• Seirul·lo, F., Solé, J. (2017). La organización temporal integrada de las cuatro estructuras. En F. Seirul·lo (ed.): *El entrenamiento en los deportes de equipo* (pp. 279-307). Barcelona: Mastercede.

• Silva, M. (2008). *O desenvolvimento do jogar, segundo a Periodizaçao Táctica*. Pontevedra: MC Sports.

• Siff, M.C., Verkhoshansky, Y. (2000). *Superentrenamiento*. Badalona: Paidotribo.

• Solé, J. (2002). *Fundamentos del entrenamiento deportivo*. Barcelona: Ergo.

• Solé, J. (2017). ¿Cómo se expresa la fuerza en el tiempo? En F. Seirul·lo (ed.): *El entrenamiento en los deportes de equipo* (pp. 131-165). Barcelona: Mastercede.

• Sousa, P.D. (2009). *Un algoritmo do FUTBOL (mais do que) TOTAL: algo que lhe dá o Ritmo. Uma reflexao sobre o "jogar" de qualidade*. Monograph. Faculdade de Desporto da Universidad do Porto.

• Stolen, T., Chamari, K., Castagna, C., Wisloff, U. (2005). Physiology of soccer: An update. *Sports Medicine, 35,* 501-536.

• Suárez, O. (2009). *Hablamos de fútbol*. You First Foundation. El Mundo.

• Suárez, O. (2012). *Palabra de entrenador* (2ª edición). Barcelona: Editorial Corner.

• Tamarit, X. (2007). *¿Qué es la Periodización Táctica? Vivenciar el juego para condicionar el Juego*. Vigo: MC Sports.

- Tamarit, X. (2013). *Periodización Táctica v Periodización Táctica*. España: MBF.

- Tarragó, J.R., Massafret-Marimón, M., Seirul·lo, F., Cos, F. (2019). *Entrenamiento en deportes de equipo: el entrenamiento estructurado en el FCB*. Apunts. Educación Física y Deportes. 137 (3): 103-114.

- Tassara, H., Pila, A. (1986). *Guía práctica del entrenador de fútbol*. Madrid: Augusto E. Pila Teleña.

- Tavares, J. (2013). *Tactical Periodisation*. Periodisation Expert Meeting. Londres: World Football Academy.

- Torrents, C. (2005). *La teoría de los sistemas dinámicos y el entrenamiento deportivo*. Tesis Doctoral. Universitat de Barcelona: Institut Nacional d'Educació Física de Catalunya.

- Tous, J. (2007). *Entrenamiento de la fuerza en los deportes colectivos*. Máster profesional en Alto Rendimiento en deportes de equipo. Barcelona: CEDE.

- Tshciene, P. (2002). Algunos aspectos de la preparación a la competición. La preparación a la competición según un enfoque basado en la teoría de los sistemas. *Revista de Entrenamiento Deportivo, 4,* 5-15.

- Verheijen, R. (2013). *Periodisation in Football*. One day periodisation course. Wolverhampton. 18 Febrero.

- Verkhoshansky, Y. (1990). *Entrenamiento deportivo, planificación y programación*. Barcelona: Martínez Roca.

- Verkhoshansky, Y., Verkhosansky, N. (2011). *Special strength training manual for coaches*. Roma: Verkhoshansky SSTM.

- Vila, J. (2012). *La organización de la cantera del FC Barcelona*. II Jornadas sobre el trabajo de las canteras en el fútbol. Sevilla. 29 Diciembre.

- Von Bertalanffy, L. (1976). *Teoría general de los sistemas*. México: Fondo de Cultura Económica.

- Wilson, J. (2013). *Inverting the pyramid: The history of football tactics* (2ª edición). Londres:: Orion.

- Yue, Z., Broich, H., Seifriz, F., Mester, J. (2008). Mathematical analysis of a soccer game. Part I: Individual and collective behaviours. *Studies in Applied Mathematics, 121,* 223-243.

Made in United States
Orlando, FL
14 October 2022